Kleine Bibliothek 37

Politik Wissenschaft Zukunft

prv

Protokoll des Kongresses „Wissenschaft und Demokratie"

Veranstaltet vom

Bund demokratischer Wissenschaftler,
von der Bundesassistentenkonferenz,
der Gewerkschaft Erziehung und Wissenschaft
sowie dem Verband deutscher Studentenschaften

am 1. und 2. Juli 1972 in Marburg

Pahl-Rugenstein

Herausgegeben von Jutta v. Freyberg
Bund demokratischer Wissenschaftler
Organisationsausgabe

Lektorat: Jürgen Hartmann.
Umschlag: Dmitrij Werschbizkij.
Herstellung: Walter Müller, Industrie- und Werbedruck KG, Köln.

ISBN 3-7609-0091-7

Inhalt

Vorwort

Der Kongreß „Wissenschaft und Demokratie“ am 1. und 2. Juli 1972 in Marburg markiert einen Durchgangspunkt in der politischen Entwicklung der gewerkschaftlich orientierten und demokratisch optierenden Intelligenz in der Bundesrepublik, vor allem an den Hochschulen.

Als in der Mitte der sechziger Jahre große Teile der Studentenschaft gegen die hierarchischen Strukturen der Ordinarienuniversität rebellierten und eine Demokratisierung von Forschung, Lehren und Lernen sowie eine Hinlenkung der Wissenschaft auf die Interessen der Mehrheit der Bevölkerung forderten, fanden sie beim wissenschaftlichen Personal ihrer Ausbildungsstätten und bei den Wissenschaftlern außerhalb der Hochschulen eher Widerstand als Resonanz. Dies hatte historische und aktuelle Gründe:

Seit der Mitte des 19. Jahrhunderts war die Mehrheit der Intelligenz in Deutschland — die „Akademiker“ — konservativ. Die Intellektuellen gehörten in der Regel zu den Privilegierten in der Gesellschaft. Anpassung an vorgegebene Machtverhältnisse bot eine Garantie für individuellen Aufstieg, Opposition gefährdete ihn. Diese Verhaltensweisen wurden auch nach 1945 weiterhin beibehalten.

In den letzten Jahren ist hier ein Wandel eingetreten. Viele Intellektuelle, innerhalb und außerhalb der Hochschulen, haben einsehen müssen, daß die Vorstellung von einer bevorzugten Position der Akademiker im Arbeitsprozeß zunehmend zur

Illusion wurde; sie mußten feststellen, daß sie Lohnabhängige waren wie Millionen andere auch. An den Universitäten wurde vielen die deutliche und sich verbreiternde Kluft zwischen wenigen Ordinarien, die zahlreiche Privilegien genossen, und anderen Wissenschaftlern, die von ihnen in Abhängigkeit gehalten wurden und die keinen Einfluß auf Forschung und Lehre erhielten, bewußt. Manche Studenten, die in den sechziger Jahren Demokratisierungsforderungen vorgetragen hatten, gehörten nach ihrem Examen selbst zum wissenschaftlichen Personal der Hochschulen und versuchten, ihre Positionen ihren neuen Kollegen zu vermitteln. Zugleich hat die Studentenbewegung seit dem Ende der sechziger Jahre zumindest in ihrer Mehrheit neue Konzeptionen der politischen Kooperation mit Außenstehenden, auch mit ausgebildeten Wissenschaftlern, die ihre sozialistische Grundüberzeugung nicht in allen Punkten teilen mochten, entwickelt. Der Kampf der Studenten hat in mehreren Bundesländern die Verabschiedung von Hochschulgesetzen mit relativ demokratischen Mitbestimmungsregelungen ermöglicht: Dieser Erfolg bewies die Chancen eines entschlossenen Eintretens für mehr Demokratie.

Auf diese Weise ist — begünstigt durch die Katalysatorwirkung der Studenten — auch unter den ausgebildeten Wissenschaftlern an den Universitäten ein demokratisches Potential entstanden, das gegenüber den Konservativen zwar immer noch in der Minderheit ist, zugleich aber doch stärker ist als je zuvor.

Dieser Bewußtwerdungsprozeß unter den Intellektuellen und seine bald sichtbaren Auswirkungen in den Kämpfen um eine Demokratisierung des Bildungswesens führten allerdings auch zu einer unvermeidlichen Polarisierung und stießen auf Widerstände: diejenigen Wissenschaftler, vor allem Professoren, die bei einer demokratischen Kontrolle der Forschung und Lehre sowie von einer paritätischen Mitbestimmung aller am Wissenschaftsprozeß beteiligten Gruppen mehr zu verlieren hatten als Illusionen, organisierten sich im „Bund Freiheit der Wissenschaft“. Trotz ihrer zahlenmäßigen Überlegenheit sehen sie sich genötigt, immer lauter nach Eingriffen des Staates in die Autonomie der Universitäten zu rufen: Solange die Hochschulautonomie ein Schutz ihrer Privilegien war, haben sie sie verteidigt; nun, da die Autonomie durch eine zumindest teilweise Demokratisierung einen neuen Charakter gewonnen hat, sind sie bereit, sie preiszugeben.

Tatsächlich drohen jetzt in Bund und Ländern neue Hochschulgesetze, die den bereits erreichten Stand der Demokratisierung beeinträchtigen würden: Veränderung der Paritäten in den Mitbestimmungsgremien könnte innerhalb der Hochschulen die alten Machtverhältnisse teilweise wiederherstellen, die staatliche Fachaufsicht wissenschaftlich und demokratisch legitimierte Entscheidungen der am Wissenschaftsprozeß unmittelbar Beteiligten außer Kraft setzen.

Die vom Bundeskanzler und den Ministerpräsidenten der Länder am 28. 1. 1972 beschlossenen „Grundsätze zur Frage der verfassungsfeindlichen Kräfte im öffentlichen Dienst" bedrohen mit ihrer Tendenz, konformistisches Denken zu erzwingen, die Demokratisierung.

So ist die demokratische Bewegung im Bildungsbereich trotz ihrer wachsenden Breite unversehens in eine Defensivposition geraten. Ein Ergebnis dieser Einsicht war die Einladung zum Kongreß „Wissenschaft und Demokratie", die im Sommersemester 1972 in der ganzen Bundesrepublik verbreitet wurde.

Die Resultate der zweitätigen Debatten zeigen das hohe Maß an Einigkeit, das unter den Kongreßteilnehmern über die Ziele ihrer wissenschaftspolitischen Anstrengungen herrschte. Sie zeigen zugleich die noch bestehenden Differenzen über die nächsten Schritte, vor allem in der Frage der Organisation.

Am Ende des Kongresses wurde der „Bund demokratischer Wissenschaftler" wiedergegründet. Die Teilnehmer an der Mitgliederversammlung bekundeten zugleich ihre gewerkschaftliche Orientierung und ihre Bereitschaft zur gewerkschaftlichen Organisation.

Die Debatten des Kongresses „Wissenschaft und Demokratie", die auf den folgenden Seiten dokumentiert sind, belegen die Widersprüche, in denen sich die bisherige politische Bewußtwerdung der demokratischen Intelligenz vollzog und weiterhin vollziehen wird. Die Gemeinsamkeit der Zielsetzung ist eine Garantie dafür, daß diese Widersprüche im Sinne wachsender Kooperation und gemeinsamer Organisierung gelöst werden können.

I. Grußansprachen

Erich Frister
Vorsitzender d. Gewerkschaft Erziehung u. Wissenschaft (GEW)

Mit den Grüßen der Gewerkschaft Erziehung und Wissenschaft im Deutschen Gewerkschaftsbund verbindet sich der Dank an die Initiatoren dieser Tagung, an Sie alle, die durch ihre Teilnahme zum Erfolg beitragen werden, und an die Politiker und Publizisten, die der hier zu erörternden Sache zu öffentlicher Beachtung und Wirksamkeit verhelfen.
Mir erscheint es notwendig, mit diesem Grußwort drei Fragen zu beantworten:

1. Warum gehört die GEW zu den Trägern dieses Kongresses Wissenschaft und Demokratie?
2. Was erwartet die GEW von diesem Kongreß?
3. Wie soll es nach dem Kongreß weitergehen?

Die GEW ist unter drei Gesichtspunkten in der Hochschulpolitik engagiert. Sie vertritt mit stetig steigender Mitgliederzahl in diesem Bereich die direkten beruflichen, wirtschaftlichen und sozialen Interessen von Hochschulangehörigen. Sie wirkt auf die Hochschulen ein, weil diese für die große Mehrheit ihrer Mitglieder die Funktion der Berufsausbildung erfüllen. Schließlich fordert sie als eine der Gewerkschaften des Deutschen Gewerkschaftsbundes eine Einbeziehung der Hochschulen in eine Gesamtreform des Bildungswesens, die zur Emanzipation der Arbeitnehmer und zunehmender sozialer Gerechtigkeit beiträgt. Diese Dreiheit von Interessenvertretung, Ausbildungsfunktion und Gesellschaftsbeeinflussung läßt sich etwa mit den Stichworten Personalstruktur, Studienreform und Gesamthochschule in hochschulpolitische Aufgabenstellungen übersetzen. Gleichzeitig sind dies Signale der bisher nicht gelungenen Hochschulreform. Das Schicksal des Hochschulrahmengesetzes hat nur Symbolcharakter. Die Hochschulpraxis bietet auch dort, wo von den Landtagen Reformgesetze verabschiedet wurden, noch ein trauriges Bild. Gesetze bewirken allein keine Reform, sie sind Plattformen, die sinnlos werden, wenn auf ihnen nicht agiert wird. Und noch agieren zu wenige in den Hochschulen für die tätige Reform, und die wenigen tun dies meist in Isolierung und Zersplitterung, ohne Information und Kommunikation, die über den persönlichen Bekannten- und Wirkungskreis, über die Grenzen des Fachbereichs und der Hochschule hinausgehen. Dies Inseldasein der tätigen Reformer verurteilt zur Wirkungslosigkeit.

Wir müssen versuchen, die Reformer zusammenzufassen, ihre Fähigkeiten, ihre Leistungen, ihr Engagement zu einer bewegenden hochschulpolitischen Kraft zu bündeln. Dieser Kongreß soll diesen Prozeß begünstigen. Die Konzentration der Kräfte soll dazu dienen, Studienreform nicht nur zu fordern, sondern sie konkret zu konzipieren und in die Tat umzusetzen. Die Konzentration soll aus der flink von der Zunge gehenden Formel der Gesamthochschule ein realistisches und realisierbares Konzept der Inhalte und Verfahren dieser Hochschule der Zukunft entwickeln. Dieser Weg nach vorn ist unsere Antwort auf die Versuche der Herren Maier, Hahn und Braun, die Uhr zurückzudrehen. Ihr Manöver — und das vieler anderer aus dem Lager des gesellschaftspolitischen Anachronismus — ist vielleicht vordergründig populär, aber doch zu einfältig angelegt.

Die Reibungsverluste, Ungereimtheiten und auch Torheiten an den Hochschulen, die die ausgefahrenen Gleise mit mehr oder weniger Entschiedenheit verlassen haben, sollen der Öffentlichkeit als Bestandteil und Folge der Reform verkauft werden. Tatsächlich sind es immer noch die Folgen der Versäumnisse, der gehegten und gepflegten Abscheu vor dem Experiment. Tatsächlich sind es immer noch die Bestandteile der verkrusteten, entarteten und erstarrten Hochschule, die die negative Unruhe hervorrufen. Gegen den Versuch, mit scheinheiligen Argumenten den Rückschritt auf breiter Linie einzuleiten, gibt es nur ein Rezept: eine breite Koalition der Vernunft und konkrete Reformarbeit in der Hochschulpraxis. In der Hoffnung, dafür einen Ansatz zu schaffen und zur Bewahrung eines langen Atems beizutragen, hat die GEW mit zu diesem Kongreß aufgerufen.

Nun zur zweiten Frage: Was erwarten wir? Mit markigen Erklärungen gegen die Verteidiger der Positionen von gestern und mit Resolutionen, die Notwendigkeit und Horizont des gesellschaftlichen Fortschritts beschwören, ist der Weg der Hochschulreform gepflastert. Eine neue Resolution ist überflüssig, und wir sollten uns nicht mehr dem falschen Gefühl, gemischt aus Befriedigung und Erleichterung, hingeben, das Abstimmungen über vertraute Formeln am Ende eines Kongresses gewähren. Hier besteht eine Übereinstimmung, die keiner neuen ausformulierten Bestätigung bedarf. Die Teilnehmer an diesem Kongreß wollen dazu beitragen, die politischen Voraussetzungen für eine Hochschulreform zu schaffen und an der Verwirklichung dieser Hochschulreform praktisch arbeiten, die den Prinzipien der Demokratie, der Humanität und der sozialen Gerechtigkeit verpflichtet ist. Es geht nicht mehr darum, die Ideen der Hochschulreform zu entwickeln, es geht darum, sie zu verwirklichen. Der einigende politische Wille und das zentrale hochschulpolitische Wollen dieser Versammlung werden durch die Teilnahme zum Ausdruck gebracht, es bedarf keiner notariellen Beglaubigung. Wir brauchen kein neues Papier, wir sollten die Zeit nutzen, um als ersten Schritt und Basis für weitere Arbeit eine realistische, disziplinierte Bestandsaufnahme zu leisten. Ein ungeschminktes Bild der Lage gilt es zu zeichnen, allerdings ohne den Zerrspiegel zu benutzen, die wirkenden Kräfte und Gegenkräfte sind zu analysieren und zu bezeichnen, die gesellschaftlichen und politischen Bedingungen der Hochschulpolitik sind abzuklopfen und wirklichkeitsnahe Möglichkeiten einer organisatorischen Zusammenfassung der Reformer zu prüfen, und schließlich sind die Voraussetzungen für eine intensive Reformpraxis zu diskutieren. Ehrlich, nüchtern und offen müssen die Beratungen geführt werden. Wer schon genau weiß, wie alles richtig zu machen ist, wer alle

Probleme von einem alleinseligmachenden Ansatz her lösen will, wer meint, daß er diesen Kongreß vor eine einzige politische Richtung spannen kann, sollte diese Hoffnung in die Garderobe bringen, wenn er eine zukunftsorientierte Hochschulpolitik heute, hier und in absehbarer Zeit erreichen will. Dieser Kongreß als Versuch einer Sammlungsbewegung für mehr Demokratie in Wissenschaft und Gesellschaft darf weder auf ein Parteiprogramm noch auf eine Weltanschauung verpflichtet werden. Es sollte auch niemand auf nützliche Idioten spekulieren, es wird keine geben. Natürlich sollen Roß und Reiter genannt werden, wenn die politischen Kräfte analysiert werden. Wir gehen auf Bundestagswahlen zu, und Parteien und Personen werden es hinnehmen müssen, wenn heute und morgen zwischen großen und kleineren Übeln, zwischen Ablehnung und Skepsis differenziert wird.

Bestandsaufnahme, sortieren, etikettieren, wägen, abklopfen, prüfen, urteilen, den Kongreß einrichten und ein paar Wegmarkierungen freilegen, mehr erwarten wir nicht. Das wäre sehr viel, wenn die Hochschulangehörigen, wenn die nach vorn engagierten Hochschulangehörigen das ihnen anerzogene Streben nach Individualität und Originalität tatsächlich einmal der Solidarität des Handelns nachordnen könnten.

Damit sind wir bei der dritten Frage: Wie soll es nach diesen Tagen weitergehen? Dieser Kongreß endet morgen mittag. Nachmittags werden sich dann die Mitglieder des BDW treffen und ihre speziellen Dinge beraten. Sie haben, das ist ihnen zu danken, diesen Kongreß initiiert, und sie werden eine aktive Kraft der Reformbewegung sein. Aber sie sind nur eine Gruppe in dieser Formation, wir brauchen ein breiteres, ein breites Spektrum der politischen Auffassungen, einen Zusammenschluß, der — in den abgegriffenen, aber doch hilfreichen Begriffen der politischen Ortsbeschreibung gesagt — alle Demokraten von der Mitte bis nach links umfaßt und ihre gemeinsamen Ziele durchsetzen will. Die Wiederbelebung des BDW reicht also nicht aus. Reicht überhaupt ein Zusammenschluß von Hochschulangehörigen aus, um den gemeinten Teil der politischen Landschaft zu verändern? Ich meine nicht. Wir in der GEW beantworten die Frage mit nein!

Die Hochschulangehörigen brauchen das Bündnis mit den organisierten Arbeitnehmern, wenn sie die Gesellschaft verändern und nicht nur Privilegien konservieren wollen. Die organisierten Arbeitnehmer brauchen das Bündnis mit der Wissenschaft, wenn sie in der gesellschaftspolitischen Auseinandersetzung mit dem Kapital nicht auf ewig die Rolle des vom Igel genarrten Hasen spielen sollen. Dieses Bündnis muß durch Solidarität, mit anderen Worten durch Organisation der Hochschulangehörigen in den Gewerkschaften geschlossen werden. Hochschulangehörige sind Arbeitnehmer. Der Professor und der Schlosser sitzen in einem Boot, sie wissen es nur noch nicht, darum rudern sie gegeneinander an, und ihr Kahn mit dem Arbeitnehmerinteresse dreht sich im Kreise.

Die Gewerkschaften bieten sich also ganz selbstverständlich als Organisation für die Zusammenfassung der Reformkräfte an. Sie garantieren die politische Breite, die klare gesellschaftspolitische Orientierung am Arbeitnehmerinteresse und die im Bündnis wirksame politische Macht. Die Gewerkschaften verdienen sicher auch Kritik. Sie sind meist besser als ihr Ruf, aber sie könnten besser sein als sie sind. Aber es führt kein Weg an ihnen vorbei, und den größten Erfolg hat Kritik, wenn sie von innen kommt, weil sie dann tätig verändern kann. Als Fordernde gegenüber Gewerkschaften machen Wissenschaftler eine schlechte Figur, als engagierte, in der Organisation solidarisch arbeitende Mitglieder bauen sie am Fundament für die gemeinsamen Erfolge.

Die GEW und die ÖTV bieten sich als Gewerkschaften im Bereich von Hochschule, Forschung und Wissenschaft an. Sie sind keine Konkurrenten, sondern werden, wie dies schon auf dem DGB-Kongreß in dieser Woche signalisiert wurde, zu einer die gewerkschaftliche Wirkung in diesem Bereich stärkenden Zusammenarbeit kommen. Die GEW ruft zur gewerkschaftlichen Organisation auf und sieht darin die beste Garantie für eine permanente Fortführung, Verbesserung und Steigerung der Arbeit dieses Kongresses und all derer im Lande, die unsere Arbeit hier mit Sympathie oder auch noch skeptisch abwartend verfolgen. Die GEW bietet sich — und bei der Kongreßvorbereitung zeigte

sich dazu breite Zustimmung — als Federführung und technische Organisation an, um die Arbeit dieses Kongresses lokal fortzuführen und in einen großen zur Formulierung von Inhalten vorstoßenden Kongreß Anfang 1973 einmünden zu lassen. Sie wird die Kooperation der ÖTV und auch anderer Gewerkschaften suchen und natürlich die gemeinsame Arbeit der Träger dieses Kongresses dabei fortsetzen. Sie wird die Organisationen zur Bildung eines Vorbereitungskomitees einladen und auch die Beteiligung derer dabei gewährleisten, die hier ihr Interesse an einer intensiven Mitarbeit bekunden und Zustimmung finden. Das ist ein Vorschlag, den die GEW Ihnen für die Weiterführung der Arbeit macht und den ich zu gegebener Zeit zu diskutieren bitte. Er beruht auf der Einsicht in die Notwendigkeit der gewerkschaftlichen Organisation. Er soll und wird kein Weg sein, um mit Formeln wie der von der gewerkschaftlichen Orientierung der tätigen Solidarität ausweichen zu können.
Wir zeigen heute, daß die Hochschulreform nicht tot ist, daß ihre Mörder auf Widerstand stoßen, daß es eine breite Front derer gibt, für die Mitbestimmung und Freiheit keine Gegensätze, sondern unaufhebbare Bestandteile einer Sache sind, der demokratischen Hochschulreform. Wir brauchen einen langen Atem und dürfen über dem großen Schwung der leitenden Ideen nicht deren Ausfüllung durch harte Tagesarbeit vernachlässigen. Wir müssen mit der Mehrheit der Arbeitnehmer wachsenden politischen Druck für unsere Ziele organisieren und die Hochschulreform, die innere Hochschulreform mit ihrem Kernstück, der Studienreform, selbst in die Hand nehmen. Wir dürfen uns nicht in der Anklage erschöpfen. Wir müssen selbst Fakten schaffen, die die Politik und ihre Bedingungen verändern. Darum darf dieser Kongreß weder nur Stichflamme noch nur Paukenschlag sein, er muß die Energien bündeln, die ausreichen, um einen langen Kampf erfolgreich zu bestehen.

Hans-Rainer Kaiser
Verband Deutscher Studentenschaften (VDS)

Dieser Kongreß über Wissenschaft und Wissenschaftler und ihr Verhältnis zur Demokratie findet statt zu einem Zeitpunkt und in einem politischen Klima, wo selbst zarte Ansätze eines bildungspolitischen Fortschritts niedergewalzt und zunichte gemacht zu werden drohen.

Gerade hier in Marburg sollen über eine 60%ige Kürzung des Tutorenhaushalts bescheidene Formen einer kritischen Lehre in die Zange genommen oder gar beseitigt werden.

Der Marburger Fall steht nicht allein. Für das kommende Wintersemester wird über die Universität Hamburg eine totale Aufnahmesperre verhängt werden.

Abermals sollen im Bundeshaushalt die Mittel für Ausbildung und Forschung gekürzt werden. Die Rüstungsausgaben steigen dagegen ins Unermeßliche.

In Heidelberg versucht der CDU-Kultusminister Hahn, die Erteilung von Lehraufträgen an fortschrittliche, politisch aktive Wissenschaftler zu verbieten.

Mit einer CDU/CSU-Offensive wird zur reaktionären Attacke auf die Hochschulgesetzgebung angesetzt. Der „Bund Freiheit der Wissenschaft“ hat hierzu rechtzeitig einen bayerischen Vortrupp zusammengestellt.

Selbst Rundfunkjournalisten, die die Studentenbewegung wohlwollend kommentierten, bleiben vom Sirenengeheul der Reaktion nicht verschont.

In Hamburg — und nicht nur dort — sind gleichzeitig die Vorbereitungsarbeiten für eine Bundeswehrhochschule in vollem Gange.

Die „innere Sicherheit“, d. h. die Sicherheit für die Seele dieser Gesellschaft, das Großkapital, hat mit den letzten Bundestagsbeschlüssen festen Fuß gefaßt. In den Hinterstuben der Bürokratie, bei den Spitzeldiensten, werden die Gutachten gegen marxistische, demokratisch engagierte Wissenschaftler fabriziert.

Das, Kolleginnen und Kollegen, Kommilitoninnen und Kommilitonen, ist die Realität an den Hochschulen, das ist die Realität der Hochschulreform!
Das personifizierende Wort vom Finanzminister, der der eigentliche Kultusminister sei, muß korrigiert werden: Innenminister und Verteidigungsminister, d. h. Polizeiminister und Bundeswehrminister — das sind heute die wahren Kultusminister in diesem Lande! In dieser Situation ist es die zwingende Aufgabe aller demokratischen Kräfte, im Bündnis miteinander die Rechtsgefahr zu bekämpfen. Die Zersplitterung der demokratischen Opposition muß überwunden werden. Der VDS versteht es als seine Aufgabe, im Interesse der großen Mehrheit der Studenten im Hochschulbereich und über die Hochschulen hinaus gegen die materielle und politische Verschärfung der Ausbildungsbedingungen, gegen die Rechtsentwicklung auf ein breites demokratisches Bündnis hinzuwirken. Nur zusammen mit den Organisationen der werktätigen Bevölkerung, den Gewerkschaften, wird der studentische Kampf für eine demokratische Hochschul- und Studienreform erfolgreich sein.
Dieser Kongreß stellt hierzu einen wichtigen Schritt dar. Der Bund Demokratischer Wissenschaftler, die Gewerkschaft Erziehung und Wissenschaft, die Bundesassistentenkonferenz, namhafte Rektoren und Präsidenten und nicht zuletzt der VDS wollen hier ein Zeichen demokratischer Zusammenarbeit im Bildungsbereich setzen. Der VDS legt *deshalb* großes Gewicht auf diese Zusammenarbeit, weil es zum integralen Bestandteil seiner Politik der konsequenten Vertretung der materiellen und politischen Interessen der Masse der Studenten gehört, das Bündnis mit fortschrittlichen Hochschullehrern in der Bekämpfung der Rechtsentwicklung herzustellen und zu vertiefen und auf einen Kampf Seite an Seite mit den Werktätigen zu orientieren. Diese Politik der gewerkschaftlichen Orientierung hat auf der letzten Mitgliederversammlung eine breite Bestätigung und Stärkung erfahren.
Die große Masse der Studenten absolviert ihre Hochschulzeit mit der Perspektive, als Lohnabhängige in genormter Position in den Arbeitsprozeß eingegliedert zu werden. Wir sehen es als

unsere Aufgabe an, diese Studenten — und das sind die meisten — von irgendwelchen sozialen Aufstiegsillusionen abzubringen und ganz klar auf eine aktive Mitgliedschaft und Mitarbeit in den Gewerkschaften des DGB hin zu orientieren.

Die gewerkschaftliche Orientierung, das ist das organisierende Stichwort dieses Kongresses.

Die Initiative aus den Reihen der Hochschullehrer, den Bund Demokratischer Wissenschaftler (BDW) zu reaktivieren, wird als ein wichtiger Ansatz zur Organisierung fortschrittlicher Kräfte im Wissenschaftsbereich vom VDS unterstützt. Die unter Hochschullehrern besonders starke Vereinzelung und Zersplitterung demokratischer Bemühungen muß überwunden werden. Voraussetzung und Bedingung für diese Überwindung ist das Bündnis aller demokratischen Kräfte und die Orientierung auf die Organisationen der lohnabhängig Arbeitenden, die Gewerkschaften. Diese Position des BDW ist auch die Position des VDS. Die Studenten sind angewiesen auf eine umfassende wissenschaftliche Qualifikation unter angemessenen Studienbedingungen, die ihnen bessere individuelle Voraussetzungen für die Sicherung ihres späteren Arbeitsplatzes verschafft. Die Hochschullehrer sind an Arbeitsbedingungen interessiert, die der Entfaltung ihrer wissenschaftlichen Tätigkeit angemessen sind. Studenten und Hochschullehrer sind gemeinsam von der Formierung der Hochschulen betroffen. Fremdlenkung, Verschulung der Lehre und des Studiums, Trennung von Forschung und Lehre sind gegen ihre berechtigten Interessen gerichtet. Eine Orientierung von Studium, Lehre und Forschung im Interesse der großen Mehrheit der Bevölkerung, der arbeitenden Menschen, muß diesen Widerspruch politisch weitertragen zu einem solidarischen Bemühen der fortschrittlichen Hochschulangehörigen Seite an Seite mit der werktätigen Bevölkerung um die demokratische Veränderung der Gesellschaft. Dies ist eine unmittelbare und ständige Kampfaufgabe.

Die große Mehrheit der Studenten tritt ein für eine Ausbildung, die ihr die Einsicht in ihre gesellschaftliche Lage in Studium und Beruf vermittelt und sie zur organisierten Wahrnehmung ihrer fortschrittlichen materiellen und politischen Interessen befähigt.

Die fortschrittlichen Hochschullehrer sind interessiert an einer kritischen rationalen und selbstverantwortlichen Entfaltung der Wissenschaft, in der Einheit von Forschung und Lehre, für den demokratischen Fortschritt der Gesellschaft. Wir betrachten es als unsere, als Aufgabe des VDS, auf diesem Kongreß die gemeinsamen Interessen und Aufgaben von Studenten und Hochschullehrern im Kampf gegen reaktionäre Hochschulgesetze, gegen Berufsverbot und materielle Bildungsmisere, gegen die Formierung der Rechtskräfte innerhalb und außerhalb der Hochschulen und für eine demokratische Hochschul- und Studienreform zu verdeutlichen.
Dieser Kongreß wird eine genauere Bestandsaufnahme der Hochschul- und Studienreform und der Aktivitäten der Rechtskräfte vorzunehmen haben, um die nächsten wichtigen Schritte im Kampf um demokratische Reformen zu bestimmen:
— In Fragen der Hochschulgesetzgebung gilt es, im Kampf gegen die CDU/CSU-Novellierungsoffensive die totale Fachaufsicht abzuwehren, die Organe der verfaßten Studentenschaft, AStA und Fachschaften zu stärken und Mitbestimmungsregelungen der Betroffenen zu verankern.
— Die Rechtskräfte, im Hochschulbereich allen voran der „Bund Freiheit der Wissenschaft", erleben von Tag zu Tag neue Erfolge, während die fortschrittlichen Gruppen noch zersplittert agieren. Ihren Kampf im Bündnis zu stärken, wird eine wichtige Aufgabe der kommenden Zeit sein.
— Die gegen demokratisch engagierte Lehrer und Hochschullehrer verhängten oder drohenden Berufsverbote zeitigen ihre Breitenwirkung. Diffamierung und politische Einschüchterung greifen um sich. Hier muß unsere Forderung ganz klar auf sofortige und bedingungslose Zurücknahme dieser verfassungswidrigen Maßnahmen lauten.
— In der Studienreform werden konkrete Kampfansätze zu entwickeln sein, die die betroffenen Studenten und Hochschullehrer gegen Verschulung und undemokratische Lehrinhalte, gegen die Formierung der Studiengänge mobilisieren und Studienformen und Studieninhalte auf die Herstellung gleicher Ausbildungschancen, auf die Vermittlung einer breiten wissen-

schaftlichen Qualifikation, auf die Verankerung fortschrittlicher Lehrinhalte ausrichten.

— Ebenso wird die Beschränkung des Bildungshaushaltes bei ständiger Expansion der Rüstungsausgaben ein wichtiges Thema sein.

Mit der Bestandsaufnahme der Hochschul- und Studienreform im Rahmen der gesamt-politischen Entwicklung wird auch eine Bestandsaufnahme der demokratischen Organisationsansätze im Bildungsbereich verbunden werden müssen. Die Fragen der gewerkschaftlichen Orientierung und Organisierung stehen hierbei im Vordergrund. Es wird notwendig sein, die Orientierung auf die Interessenorganisationen der Lohnabhängigen zu verknüpfen mit den besonderen politischen Problemen im Wissenschaftsbereich.

Dieser Kongreß kann nur ein *Auftakt* sein für den gemeinsamen Kampf, der tagtäglich gegen die Rechtsentwicklung und für demokratische Reformen geführt werden muß. In dem Sinne, daß das Bündnis aller demokratischen Kräfte hier und heute gestärkt wird, daß die Wissenschaft mit ganzer Energie in den Dienst des demokratischen Fortschritts gestellt wird, wünsche ich diesem Kongreß einen erfolgreichen Verlauf!

Wolfgang König
Bundesassistentenkonferenz (BAK)

Angesichts der hochschulpolitischen Entwicklung der letzten Monate hat sich gezeigt, daß die Ansätze zur Reform von Forschung, Lehre und Studium nur dann gewahrt und fortgesetzt werden können, wenn die daran beteiligten Hochschulangehörigen ihre Vorhaben inhaltlich und organisatorisch abstimmen.
Die Bundesassistentenkonferenz hat angesichts der wachsenden Schwierigkeit bei der Umsetzung auch ihrer Konzepte die vom BdWi eingeleitete Initiative aufgegriffen und beteiligt sich zusammen mit der GEW und dem VDS an der Durchführung dieses Kongresses.
Die Unterstützung dieser Schritte in Richtung auf eine politische Fraktionierung von Hochschulangehörigen liegt nämlich in der Konsequenz der gegenwärtigen BAK-Politik.
So hat noch die letzte Vollversammlung unsere Mitglieder aufgefordert, der GEW beizutreten und dort zusammen mit anderen Gruppen aus der Universität ihre Vorstellungen von Hochschulreform zu vertreten. Dies kann nämlich nur in Übereinstimmung mit den Reformvorstellungen aus anderen Bereichen des Ausbildungssektors, wie sie u. a. die GEW vertritt, vollzogen werden.
Von daher begrüßt die BAK die Feststellung des BdWi, daß eine solche Politik nur im Bündnis mit anderen demokratischen Organisationen, vor allem den Gewerkschaften, durchgeführt werden kann.
Selbst wenn mit diesem Kongreß nur ein erster Schritt in Richtung auf eine engere Zusammenarbeit der hier vertretenen Verbände eingeleitet werden kann, so wünschen wir Ihnen und uns bei aller Differenziertheit in der Diskussion letztlich Einigkeit in der Verfolgung unserer gemeinsamen Ziele.

II. Referate

Rolf Rendtorff
Demokratische Hochschule: Mitbestimmung und Autonomie

Daß dieser Kongreß heute stattfindet, ist ein Zeichen für das wachsende Bewußtsein, daß sich diejenigen, denen es um die Verwirklichung einer demokratischen Hochschulreform geht, zusammenschließen müssen. Das Erwachen dieses Bewußtseins kommt spät, sehr spät — und es kommt erst als Reaktion auf eine Entwicklung an den Hochschulen, die die Ansätze zu einer demokratischen Hochschulreform zunichte zu machen droht.

Warum ist dieses Bewußtsein so spät erwacht? Mir scheint der Grund vor allem darin zu liegen, daß zu viele von uns der Überzeugung waren, daß sich die Hochschulreform, wie sie sie verstanden, schließlich von selbst durchsetzen würde. Sie waren zu sehr davon überzeugt, daß das, was sie wollten, vernünftig sei, daß es der einzige Weg sei, um unsere Hochschulen instand zu setzen, die ihnen heute gestellten Aufgaben zu erfüllen, und daß sich diese vernünftige Einsicht schließlich durchsetzen müßte. Wir müssen jetzt feststellen, daß dies ein Irrtum war. Wir haben die Gegenkräfte unterschätzt, die sich einer durchgreifenden Strukturveränderung der Hochschulen entgegenstellten. Im Rückblick muß man allerdings sagen, daß die jetzt eingetretene Entwicklung eine gewisse Folgerichtigkeit besitzt und daß man sie bei einer etwas weniger optimistischen Einschätzung der Durchsetzbarkeit vernünftiger Reformvorstellungen hätte kommen sehen müssen. Die entscheidenden Impulse zur Diskussion um die Hochschulreform waren ja von der Seite der Studenten und der Assistenten gekommen. Die übrigen Mitglieder der Hochschule aber schwiegen, insbesondere diejenigen, denen damals die fast uneingeschränkte Entscheidungsbefugnis innerhalb der Universität zustand und die deshalb die entscheidenden Träger von Strukturveränderungen hätten sein müssen: die Ordinarien. Und als sich zum erstenmal eine größere Anzahl von ihnen öffentlich äußerte, geschah dies im „Marburger Manifest". Spätestens zu diesem Zeitpunkt hätte deutlich sein müssen, daß eine demokratische Hochschulreform nur gegen den Widerstand einer großen Zahl von Ordinarien möglich sein würde. Die Gründung des Bundes „Freiheit der Wissenschaft" erweist sich deshalb als konsequente Fortsetzung des „Marburger Manifests".

Wir haben aber nicht nur die Gegenkräfte unterschätzt, sondern wir haben auch den Willen und die Fähigkeit der verantwortlichen Politiker überschätzt, Reformen in Angriff zu nehmen und auch gegen Widerstände durchzuführen. Auch dies war ein folgenschwerer Irrtum. Die wohlklingenden Worte vieler Politiker, mit denen sie ihre Reformvorschläge begründeten, haben sich als Täuschung erwiesen. Ich möchte das am Beispiel Baden-Württembergs konkretisieren: In der Einleitung zu der von Kultusminister Hahn herausgegebenen Ausgabe des baden-württembergischen Hochschulgesetzes von 1968, die in großer Auflage verbreitet wurde, steht zu lesen, das Gesetz bringe „eine ganze Reihe konkreter Reformen, die bestehende ‚Herrschaftsstrukturen' abbauen und auf ein freies, partnerschaftliches und demokratisches Zusammenleben aller Universitätsangehörigen hinzielen". Solche Sätze wirken heute im Blick auf die seither betriebene Politik ihres Urhebers schon fast makaber. Gerade die jüngsten Vorgänge an der Universität Konstanz zeigen, mit welcher geradezu zynischen Rücksichtslosigkeit dort Ansätze zu einem „freien, partnerschaftlichen und demokratischen Zusammenwirken aller Universitätsangehörigen" zunichte gemacht und wie diejenigen, die sie zu erhalten versuchen, diffamiert werden.

Es zeigt sich jetzt, daß die Basis für eine demokratische Hochschulreform zu schmal war und daß die Kräfte nicht ausreichten, um sie durchzusetzen. Aber nicht nur dies: auch die Reformziele und -inhalte waren nicht präzise genug formuliert. Das zeigt sich vielleicht am deutlichsten darin, daß das Wort „Reform" in dieser Diskussion zu einer bedeutungsleeren Hülse geworden ist, die jedermann beliebig verwenden kann, um seine Vorstellungen damit zu bezeichnen und zugleich zu behaupten, daß das, was der andere wolle, gar keine Reformen seien. Das Wort hat sich deshalb schon fast als unbrauchbar erwiesen — es sei denn, man verwendet es als Gegenbegriff, indem man die jetzt entstandene gegenläufige Bewegung als „Gegenreform" bezeichnet. Aber diese Unschärfe des Begriffs ist doch nur ein Zeichen dafür, daß die Ziele und Inhalte dieser Reform nicht deutlich genug formuliert und nicht präzise genug ausgearbeitet waren. Wie wäre es sonst möglich, um nur ein Beispiel zu nennen, daß gegenwärtig unter dem Stichwort „Drittelparität" zwei so grundverschiedene Modelle wie die von Konstanz und Bremen nebeneinander stehen, ohne daß jemals eine differenzierte Diskussion über die Voraussetzungen, die ihnen zugrunde liegen, und die Ziele, die mit ihnen angestrebt werden, geführt worden wäre.

Zu beidem soll dieser Kongreß einen Beitrag leisten: zur Stärkung der Basis für die Durchsetzung einer demokratischen Hochschulreform und zur Eröffnung einer neuen, differenzierten Diskussion über die Ziele und Inhalte dieser Reform.

Ich will jetzt nicht den Versuch einer systematischen Analyse der Problematik einer demokratischen Hochschule unternehmen. Ich will mich vielmehr auf einen bestimmten Aspekt konzentrieren, der gerade in jüngster Zeit wieder sehr stark in den Vordergrund der Diskussion gerückt ist. Die Frage der Mitbestimmung an den Hochschulen ist in den letzten Monaten an einer ganzen Reihe von Stellen zum Kernpunkt heftiger Auseinandersetzungen geworden: so in der Diskussion über die Frage der Drittelparität in Bremen und in Konstanz, in den Auseinandersetzungen über die Frage der Festsetzung von Paritäten im Hochschulrahmengesetz und über die im Entwurf des bayerischen Hochschulgesetzes vorgesehenen Paritäten sowie in den vorläufig gescheiterten Bemühungen um eine Satzung der Universität Bonn — um nur einige Beispiele zu nennen. Überall geht es um Paritäten. Überall zeigt sich aber auch, daß damit zugleich die entscheidenden Grundfragen der Mitbestimmung an der Hochschule zur Diskussion stehen und daß die unterschiedlichen Ansatzpunkte in dieser Frage in vielen Fällen eine Lösung erschweren oder verhindern.

Dabei haben sich die Argumente in den letzten Jahren nicht wesentlich verändert. So heißt es im Marburger Manifest: „Die durch das Grundgesetz garantierte Freiheit der Forschung und Lehre ist gerade im Unterschied zur gültigen demokratischen Verfügungsgewalt nur in einer Sphäre möglich, die, ähnlich wie die Unabhängigkeit der Rechtssprechung, dem politischen Kräftespiel entzogen ist. Die Forderung der ‚Demokratisierung' läßt somit ein grundsätzliches Mißverständnis der freiheitlichen Demokratie erkennen." Hier ist also, wie seither oft, die Forderung einer Demokratisierung der Hochschule dadurch diskreditiert worden, daß behauptet wird, es läge ihr ein falsches Demokratieverständnis zugrunde.

Die Behauptung, Wissenschaft ließe sich nicht demokratisieren, kann entweder die banale Selbstverständlichkeit meinen, daß über die Richtigkeit wissenschaftlicher Ergebnisse keine Mehrheitsabstimmungen in einem Gremium stattfinden können. Dies hat allerdings auch nie jemand gefordert — entgegen vielfältigen diffamierenden Behauptungen bis hin zu der demagogischen Karikatur der Abstimmung am Krankenbett unter Mitwirkung des nichtärztlichen Personals. Hier ist aber offenkundig etwas ganz anderes gemeint. Es geht darum, daß die Demokratisierung, also die Mitbestimmung anderer, die Privilegien einer bestimmten Gruppe beeinträchtigen könnte.

Daß dies gemeint ist, wird ganz deutlich aus dem später folgenden Satz des Marburger Manifests: „Während bisher noch nicht einmal der Staat das Recht hatte, in die Freiheit von Forschung und Lehre einzugreifen, soll dieses nunmehr studentischen Wortführern zugebilligt werden." Hier ist ganz klar erkennbar, worum es geht: Die Freiheit von Forschung und Lehre wird als Individualrecht der Hochschullehrer betrachtet. Deshalb muß eine Mitbestimmung, von wem auch immer, als Eingriff in dieses Recht verstanden werden. Zugleich wird aber auch die Autonomie der Universität unter diesem Gesichtspunkt betrachtet: Auch der Staat darf nicht in dieses Individualrecht der Hochschullehrer eingreifen. Es liest sich fast wie ein Kommentar dazu, was schon 1965 Nitsch, Gerhardt, Offe und Preuß in dem Band „Hochschule in der Demokratie“ geschrieben haben: „Das Verlangen nach Autonomie der Hochschule kann daher überhaupt nur in dem Maße wissenschaftsfördernd und befreiend gestellt werden, wie es nicht die Stärkung der rechtlichen Position jener Oberschicht (d. h. der Ordinarien) bedeutet, der es bisher immer noch gelungen ist, ihre Interessen in den unverdächtigen Mantel der Korporationsautonomie zu hüllen“ (S. 226).

Daß es im wesentlichen immer noch um diese Fragestellung geht, zeigt gerade die jüngste Phase der Paritätendiskussion. Die Auseinandersetzungen entzünden sich immer wieder an der Frage, wie groß der Anteil der Hochschullehrer in den Selbstverwaltungsgremien der Hochschulen sein soll. Es wird dabei davon ausgegangen, daß es zunächst eine Gruppe der selbstverständlich in der Hochschule Bestimmenden gibt, nämlich die Hochschullehrer, während die übrigen nur *mit*-bestimmen. Deshalb ist auch, soweit ich sehe, noch nie ernsthaft versucht worden, für die Anteile der übrigen Gruppen an den Paritäten irgendwelche Kriterien aufzustellen. So heißt es in der von der CDU/CSU-Fraktion geforderten Formulierung in § 15 Abs. 2 des Hochschulrahmengesetzes schlicht: „In den Beschlußorganen muß die Gesamtzahl der Vertreter der Professoren die Gesamtzahl der Vertreter der Gruppen, deren Mitglieder nicht Professoren sind, überschreiten.“ Die Mitglieder der Hochschule werden also einfach in zwei Gruppen eingeteilt: in Professoren und in solche, die „nicht Professoren sind“.

Man kann die hier zugrunde liegende Konzeption natürlich auch noch eindeutiger als Machtfrage darstellen. So heißt es etwa in einem Leitartikel der Frankfurter Allgemeinen Zeitung vom 4. Januar 1972: „Alle Klauseln zur Freiheit der Lehre und Forschung und zur Auswahl des Nachwuchses bleiben Papier, solange die Machtverhältnisse an der Universität nicht geändert werden ... Es hilft nur, die Lehr-, Prüfungs- und Berufungsbefugnis so eindeutig in der Hand einer Seite zu konzentrieren, daß es ganz hoffnungslos für die andere wird, sie ihr kämpferisch entwinden zu wollen." Und konsequenterweise ergibt sich daraus dann die Folgerung: „Ohne die Abschaffung der Mitbestimmung bekommen wir in der gesamten Hochschulreform keinen festen Boden unter die Füße." Die so verstandene Mitbestimmung ist also etwas, was man einfach wieder „abschaffen" kann.

Die Formulierung der SPD/FDP-Koalition für das Hochschulrahmengesetz geht demgegenüber von einer anderen Voraussetzung aus (§ 15 Abs. 4): „Keine Mitgliedergruppe darf in einem Kollegialorgan mehr als die Hälfte der Mitglieder stellen." Natürlich ist dies auch auf die Professoren bezogen, da wohl niemand auf die Idee kommen würde, einer anderen Gruppe mehr als die Hälfte der Sitze in einem Selbstverwaltungsgremium einer Hochschule zuzugestehen. Aber es ist doch ein grundlegender Unterschied, wenn hier von verschiedenen „Mitgliedergruppen" gesprochen wird, statt einfach von Professoren und Nicht-Professoren. Allerdings bedarf ein solcher Ansatz einer sorgfältigen Begründung und Ausarbeitung, um eine tragfähige Grundlage für eine Demokratisierung der Hochschule zu bilden. Die Bundesassistentenkonferenz hat dazu mit der Schrift „Wissenschaftsfreiheit durch Mitbestimmung" von Peter Hauck und Jürgen Lüthje (1970) einen wichtigen Beitrag geleistet. Die Schrift ist bekanntlich entstanden aus einem Gutachten der BAK zu den zahlreichen Verfassungsbeschwerden gegen die Hochschulgesetze verschiedener Länder. Es geht dabei insbesondere um die Frage, welche Folgerungen aus Artikel 5 Abs. 3 des Grundgesetzes für die Mitbestimmung in den Selbstverwaltungsgremien der Hochschulen zu ziehen sind. Die Verfasser gehen davon aus, daß in dem Satz „Kunst und Wissenschaft, Forschung und Lehre sind frei" Wissenschaft der weitere Begriff ist, der Forschung und Lehre umgreift. „Art. 5 Abs. 3 GG garantiert also umfassend die Freiheit der *Wissenschaft*" (S. 11). Das hat aber zur Folge, daß die hier ausgesprochene Freiheitsverbürgung nicht nur diejenigen betrifft, die in Forschung und Lehre tätig sind, sondern alle erfaßt, die Wissenschaft betreiben. Sie schließt deshalb auch die Studenten mit ein, da es sich heute bei einem wissenschaftlichen Studium nicht nur um die Rezeption eines statischen Besitzes bestimmter Kenntnisse oder Techniken, sondern um das Erlernen wissenschaftlichen Verhaltens handeln muß (S. 14 f.).

Ich kann mich hier mit diesen kurzen Hinweisen begnügen, zumal diese Überlegungen ja auch weithin bekannt sind. Für den Zusammenhang unserer Fragestellung ist besonders von Bedeutung, daß es von einem solchen Ansatz her unmöglich wird, mit Berufung auf Artikel 5 Abs. 3 GG besondere Privilegien für eine bestimmte Gruppe von Mitgliedern der Hochschule zu postulieren. Vielmehr ergibt sich aus diesem Verständnis von Wissenschaftsfreiheit gerade der Zwang zur Kooperation aller am Wissenschaftsprozeß Beteiligten. Mitbestimmung kann dann nicht in dem vorher charakterisierten Sinne verstanden werden als bloße Teilhabe anderer Gruppen an Entscheidungsbefugnissen, die primär einer Gruppe zustehen und deshalb von ihr auch in privilegierter Weise wahrgenommen werden müßten, sondern nur als die gemeinsame Willensbildung aller am Wissenschaftsprozeß Beteiligten in den Fragen der Wissenschaftsorganisation, -planung und -verwaltung, mit denen es ja die Gremien der Selbstverwaltung der Hochschulen im wesentlichen zu tun haben. Auch das häufig verwendete Argument des „Sachverstandes" oder der „Sachkompetenz" läßt sich dagegen nicht wirksam ins Feld führen, da es in den Gremien ja gerade nicht um Fragen geht, bei denen etabliertes Fachwissen den Ausschlag gibt, sondern um die Weiterentwicklung des Wissenschaftsprozesses in Forschung, Lehre und Studium.

Hier ergeben sich unmittelbare Rückwirkungen auf die Frage der Autonomie der Hochschulen. Ich kann und will mich jetzt nicht auf die breite Autonomiediskussion einlassen, sondern mich wieder nur auf einen Aspekt beschränken. Es war vorhin davon die Rede, daß im „Marburger Manifest" die als Individualrecht der Hochschullehrer verstandene Freiheit von Forschung und Lehre zugleich als Argument gegen die Mitbestimmung und für die Autonomie der Hochschule verwendet wurde. So wenig das erste als stichhaltig anerkannt werden kann, so wenig auch das zweite. „Einsamkeit und Freiheit“ des Wissenschaftlers können heute keinesfalls mehr eine zureichende Begründung für die Autonomie der Universität abgeben. Vielmehr bedarf auch diese Frage einer völligen Neubestimmung, insbesondere im Blick auf die veränderte Funktion der Wissenschaft in der Gesellschaft. Ich zitiere hier noch einmal aus dem Gutachten der BAK: „Diese Erweiterung wissenschaftlicher Fragestellung um die Dimension der gesellschaftlichen Bedingungen, Wirkungen und Möglichkeiten der Wissenschaft ist die einzige Chance, die künftige Entwicklung der wissenschaftlich-technischen Zivilisation rational zu beherrschen und unter Kontrolle zu halten. Insbesondere ist sie der einzige Schutz vor dem Mißbrauch wissenschaftlicher Erkenntnisse zur Manipulation gesellschaftlicher Prozesse. Die Wissenschaft gewinnt damit die kritische Funktion in der Gesellschaft, die notwendig Konfliktmöglichkeiten mit gesellschaftlichen Gruppen und Interessen erzeugt. Diesen kritischen Auftrag der Gesellschaft kann die Wissenschaft nur erfüllen, wenn sie der Gesellschaft gegenüber eine gewisse Distanz wahren kann. Darin vor allem liegt heute die Begründung der Verfassungsgarantie freier Wissenschaft“ (S. 12). Dem muß hinzugefügt werden, daß die wechselseitige Kontrolle der am Wissenschaftsprozeß Beteiligten in den Gremien der Hochschulselbstverwaltung unabdingbare Voraussetzung dafür ist, daß die Hochschule in dieser „gewissen Distanz“ zur Gesellschaft ihren Auftrag erfüllen kann. „Im Außenverhältnis entspricht dem modernen Verhältnis der Wissenschaft zur Gesellschaft das Prinzip ‚kooperativer Autonomie' im Gegensatz zur Abhängigkeit gegenüber der Gesellschaft einerseits, zur isolierten Autonomie andererseits“ (S. 19).

Es besteht also ein enger Zusammenhang zwischen Mitbestimmung und Autonomie der Hochschule. Die letztere kann nur verantwortlich in Anspruch genommen werden, wenn die erstere voll gegeben ist. Insofern nimmt es nun nicht wunder, daß gerade in jüngster Zeit bei den Gegnern einer Mitbestimmung im hier beschriebenen Sinne eine deutliche Veränderung ihrer Einstellung zur Autonomie erkennbar wird. Immer häufiger wird

– neben dem Ruf nach dem Staat als Ordnungsmacht – nach der Fachaufsicht des Staates gerufen. Uwe Wesel hat diesen Vorgang treffend beschrieben: „Nachdem die ordentlichen Professoren aber die alleinige Entscheidungsbefugnis in der Universität verloren haben, ruft man seit zwei Jahren nach dem Staat, der im Wege der Fachaufsicht wieder das rückgängig machen soll, was er mit der Demokratisierung der Universität verbrochen hat ... Weil man gegen die Demokratisierung nur schlecht argumentieren kann, will man sie auf diese Weise unterlaufen. Mit anderen Worten: Was ein demokratisch gewählter Fachbereichsrat beschließt und was von den ordentlichen Professoren als unzweckmäßig angesehen wird, das soll der Staat im Wege der Fachaufsicht ... wieder aufheben und durch eine von ihm als zweckmäßig angesehene Weisung ersetzen" (Zur gegenwärtigen Situation der Hochschulreform, in: Neue Rundschau, Heft 1, 1972, S. 95). Man nimmt dafür nicht nur die Preisgabe des so lange heilig gehaltenen Prinzips der Autonomie in Kauf, sondern auch noch den Verzicht auf den gerade in der Mitbestimmungsdiskussion so oft beschworenen „Sachverstand". Denn niemand wird ja im Ernst behaupten wollen, daß in der Kultusbürokratie mehr Sachverstand im Hinblick auf die inneren Angelegenheiten der Hochschulen vorhanden wäre als in diesen selbst und daß einige wenige Ministerialbeamte zu besseren und begründeteren Ergebnissen kommen könnten als ein Selbstverwaltungsgremium der Hochschule. Aber dies wird in einer eigentümlichen Staatsgläubigkeit in Kauf genommen, weil man sich lieber den Entscheidungen staatlicher Instanzen unterwirft — allerdings in der oft nicht unbegründeten Hoffnung, daß dort die eigenen Interessen immer noch besser aufgehoben seien —, als die Entscheidungen von Selbstverwaltungsgremien zu akzeptieren, in denen Leute sitzen, die allzu genaue Vorstellungen davon haben, in welcher Richtung die Hochschule verändert werden muß. So ergibt sich die fast paradoxe Situation, daß die Autonomie der Hochschule von denen preisgegeben wird, für die sie noch vor kurzem ein unantastbares Gut war, weil ihnen heute eine Autonomie nichts mehr wert ist, die sie mit anderen teilen müssen, während die Autonomie — oder besser: die Wissenschaftsfreiheit — von denen verteidigt wird, die sich gerade um die Überwindung der alten Strukturen bemühen, mit denen die Autonomie einstmals unlösbar verbunden zu sein schien. Und wir müssen sie verteidigen, und zwar in der Form der „kooperativen Autonomie", weil nur so die Wissenschaft ihre kritische Funktion in der Gesellschaft erfüllen kann. Aber täuschen wir uns nicht: Man wird sie uns streitig machen! Landtage und Kultusministerien werden die begrenzte Unabhängigkeit, die sie den Hochschulen bisher als einen Tribut an den Nimbus der Ordinarien zuzugestehen bereit waren, in dem Maße einzuschränken versuchen, in dem sich in ihnen die Einsicht in die kritische Funktion der Wissenschaft in der Gesellschaft zu entwickeln beginnt.

Wenn dieser Kongreß mehr als nur deklamatorischen Wert haben soll, dann muß er dazu führen, daß wir Formen des Zusammenschlusses und der Zusammenarbeit finden, die es uns ermöglichen, den Kampf um die Wissenschaftsfreiheit in einer demokratischen Hochschule wirksam zu führen. Dazu gehört aber vor allem auch, daß wir gemeinsam darangehen, die Ziele und Inhalte einer demokratischen Hochschulreform präziser und detaillierter zu formulieren. Wir können die Berechtigung und Notwendigkeit der demokratischen Mitbestimmung nur dann glaubhaft machen und die Wissenschaftsfreiheit nur dann überzeugend in Anspruch nehmen, wenn es uns gelingt zu beweisen, daß die Hochschule dadurch besser als bisher instand gesetzt wird, ihre Aufgaben zu erfüllen. Wir müssen deshalb unverzüglich mit der Arbeit an den inhaltlichen Reformen beginnen — allen voran mit der Studienreform! Wir müssen unsere demokratischen Positionen in der Hochschule verteidigen und ausbauen — aber es darf keinen Augenblick zweifelhaft sein, daß dies kein Selbstzweck ist, sondern daß es nur dazu dienen soll, die bestmöglichen Voraussetzungen für die Wahrnehmung der kritischen Funktion der Hochschule in der Gesellschaft und für die Gesellschaft zu schaffen.

Walter Jens
Plädoyer für einen Pluralismus der Wissenschaft

Meine sehr verehrten Damen und Herren, Plädoyer für einen Pluralismus der Wissenschaft ... das heißt zunächst (Überlegungen folgend, die vor einigen Monaten Margherita von Brentano angestellt hat) Appell an die Wissenschaft verwaltenden Instanzen:
„Wahrt gegenüber *allen* Methoden und Lehrmeinungen szientifischer Art strenge Neutralität, sorgt dafür, daß sich *alle* wissenschaftlichen Konzeptionen frei entfalten können, daß *alle* — nicht nur die herrschende: scheinbar neutrale, in Wahrheit parteiische — vom Zwang befreit werden, sich ständig legitimieren zu müssen." *Alle,* die positivistische mit ihrer expansiven Neutralitäts-Ideologie in gleicher Weise wie die marxistische Theorie oder die Dogmatik der katholischen Kirche. (Es wird um Konsequenz ersucht: Wenn es im Gründungsaufruf des „Bundes Freiheit der Wissenschaft" heißt, daß Wissenschaft nur existieren könne, solange kein Dogma im voraus festlege, was das Gute und das Böse sei, so zielt diese Invektive — und das sollte sie auch — zunächst auf den Marxismus, trifft aber zugleich — und das sollte sie wohl weniger — die Theologie: Ich fürchte, der Fortbestand zumindest der katholisch-theologischen Fakultäten wäre ernsthaft gefährdet, in diesem Land, wenn kein Dogma mehr bestimmen darf, was gut und böse ist.)
Plädoyer für einen Pluralismus der Wissenschaft heißt: In der wissenschaftstheoretischen Auseinandersetzung werden von außen her keine Prioritäten gesetzt ... derart, daß sich die eine Methode — toleriert zwar, aber doch als abweichend verstanden — vor einer anderen rechtfertigen muß ... einer anderen, die als Maßstab dient, mit dessen Hilfe sich die mehr oder minder große Abweichung von der vorgegebenen Norm feststellen läßt. Ein Plädoyer für den Pluralismus der Wissenschaft bedeutet damit: Der Antragsteller insistiert darauf, daß an den Universitäten unserer Republik die Behauptung realisiert wird, die vor 100 Jahren, im Oktober 1877, der Rektor der Friedrich-Wilhelm-Universität, es war Hermann Helmholtz, über die Lehr-

freiheit an den Hochschulen des deutschen Reiches aufstellte: „In diesem Augenblick können auf deutschen Universitäten die extremsten Konsequenzen materialistischer Metaphysik, die kühnsten Spekulationen auf dem Boden von Darwins Evolutionstheorie ebenso ungehindert wie die extremste Vergötterung päpstlicher Autorität vorgetragen werden." Lassen wir den Papst und Darwin einmal beiseite ... wie steht es in einem Augenblick um die freie Entfaltung der materialistischen Metaphysik marxistischer Provenienz, da der Kultusminister des Landes Baden-Württemberg in einem Brief an die „Hochschullehrer, Lehrer, Verleger und im Kulturbereich Tätigen" eine Beziehung zwischen dem von linksextremen Gruppen bedrohten Leben der Kinder und jenen „marxistischen Ideologen und Wissenschaftlern" herstellt, die, nach Wilhelm Hahn, „über Jahrzehnte den Studenten ihre realitätsfernen Theorien, die sich gegen unseren Staat und unsere Gesellschaft richten, mit viel Geist und Rhetorik verkündeten."

In der Tat, meine Damen und Herren, das Plädoyer für den Pluralismus der Wissenschaft, das ich Ihnen vorzutragen habe, gilt — wie das Stuttgarter Schreiben vom 2. Juni 1970 beweist — Mandanten, deren Recht, als Bürger unter den Bürgern ihre Meinung vertreten zu dürfen, zunehmend bedroht ist. Es gilt den linken Hochschullehrern — eine verschwindende Minorität, wie man weiß: aber Hahn und die Seinen sprechen davon, daß an unseren Universitäten „einseitig und in großem Umfang Theorien verkündet werden, die auf eine Unterminierung unseres Staates und unserer Gesellschaft abzielen"; es gilt den Lehrern und Verlegern, es gilt aber auch jenen Politikern, die, wie die Vertreter der derzeitigen Bundesregierung, eine Amnestie für Demonstrationstäter durchsetzten, die angeblich nach Hahn „dazu beigetragen hat, politische Gewalttaten als Kavaliersdelikte zu beurteilen, die sogar positiv bewertbar seien." Meine Damen und Herren, als wir in unserem Kongreßappell darauf verwiesen, daß Disziplinierungsmaßnahmen, die sich heute in erster Linie gegen sogenannte Extremisten richten, morgen schon unbotmäßige Gewerkschaftler und Sozialdemokraten, Journalisten, die auf die Materialisation der Sozialgebote unseres Grundgesetzes pochen oder Lehrer treffen kann, die den Gedanken der Verschwisterung von Demokratie und Sozialismus vertreten, weil sie glauben, daß nur auf diese Weise die bürgerlichen Freiheiten, nunmehr Freiheiten für alle, realisiert werden können ... als wir den Kreis der potentiell Bedrohten so weit zogen, da hat man uns vorgeworfen, wir malten schwarz, wo nur grau sei, und unterschätzten das Ausmaß jenen liberalen Freiraums, der doch immerhin geblieben sei. Da hatte man vergessen, daß bereits vor Jahren, angeklagt mit anderen demokratischen Wissenschaftlern, ein Mann wie Ossip Flechtheim — zeitlebens ein Anwalt des Friedens, der sozialen Gerechtigkeit und der Gewaltlosigkeit — von Gerhard Stoltenberg als Verführer der Jugend hingestellt wurde ... jetzt aber sind es nicht allein die realitätsfernen Theoretiker, die — dennoch — mit der Realität Baader-Meinhof identifiziert werden: im Zeichen des großen Ketzergerichts stehen fortschrittliche Politiker neben Theologen, beide bezichtigt der Verletzung demokratischer Spielregeln, Vertreter der Massenmedien finden sich Seit an Seit mit den Regenten der sozialliberalen Koalition, deren Gesetzestätigkeit es zuzuschreiben sei, daß die „Grenze zwischen Recht und Unrecht für viele in der jungen Generation fließend geworden sei." Professoren, Politiker, Theologen, Verleger, Publizisten, alle rot, alle als Sympathisanten in einem Atemzug mit Terroristen genannt: Wenn das keine Volksfront ist, die in diesem Brief vorgestellt und angeklagt wird, dann weiß ich nicht, was eine Volksfront ist. Hier springt die Katze aus dem Sack — eine Katze, die die Tollwut hat — Schluß mit der Toleranz gegenüber den Linken, heißt die Devise.

Ein Plädoyer für den Pluralismus der Wissenschaft zu halten, bedeutet also auch, darauf zu verweisen, daß man endlich aufhören möge, jene auf die Beförderung allgemeiner Emanzipation bedachten Menschen in diesem Land zu verketzern, die mit Fug betonen, daß unsere Rechtsordnung nicht identisch mit einer bestimmten, um jeden Preis zu verteidigenden Wirtschaftsform ist und das Grundgesetz nicht auf eine Realisierung im Sinne des Kapitalismus hin angelegt wurde. Es ist also, von der Sache her, keineswegs zwingend, daß — Sie gestatten eine Spekulation — ein Wissenschaftler ausgebuht werden muß, der auf einem Kongreß des Bundes „Freiheit der Wissenschaft“ die These vertritt: „Das kapitalistische Wirtschaftssystem ist den staatlichen und sozialen Lebensinteressen des deutschen Volkes nicht gerecht geworden.“ Es könnte durchaus sein, daß ein Journalist, der, von Löwenthal und Strauß und Springer mit Hohnlachen verfolgt, kein sogenannter Radikaler ist, obwohl er den folgenden Satz formuliert und sich zu ihm bekennt: „Inhalt einer sozialen und wirtschaftlichen Neuordnung von Grund auf kann nicht mehr das kapitalistische Gewinn- und Machtstreben, sondern nur das Wohlergehen unseres Volkes sein.“

Kein Zweifel, meine Damen und Herren, daß der Kongreßredner und der Journalist, die ich mir in meinem Gedankenspiel auszudenken versuchte, sprächen sie tatsächlich so, heute, in der „Welt“ und im ZDF-Magazin, in den Ministerien der Herren Maier und Hahn, im „Bayernkurier“ und in den Kreisen des BDI als — wie heißt es doch? — Ideologen, Radikale, Dogmatiker, Heilslehrer und Utopisten hingestellt würden ... und dies, obwohl sie doch nur Sätze vortragen würden, die allesamt im Ahlener Wirtschaftsprogramm der CDU zu finden sind. Publiziert vor 25 Jahren und heute, in weiten Kreisen, nur noch verstehbar als ein revolutionärer Traktat: So weit hat sich, von herrschenden Interessen bestimmt: dienlich den Machtansprüchen einer winzigen Minorität, die Bundesrepublik zur Rechten hinbewegt. Was vor Jahren noch als eine eher liberale Maxime galt — Hermann Hellers Sentenz, daß zwangsläufig Formen des autoritären Regimes wiederhergestellt würden, wenn es nicht gelänge, den liberalen Rechtsstaat zu einem sozialen zu entwickeln und derart Demokratie sozial zu realisieren ... Thesen dieser Art erscheinen heute als Elemente einer politischen Strategie, die diesen Staat vernichten will. So weit sind wir gekommen, in diesem Land: Liberale Parolen gelten als rot, das Ahlener Programm erscheint wie eine sozialistische Fibel, Anwälte der Gewaltlosigkeit, von Flechtheim bis Böll, stehn am Pranger, als ob sie — und nicht die body-counter von Vietnam — Ziehväter jener Terroristen wären, die das Gebot der Solidarität mit den Deklassierten aufkündigten, als sie zu ihren Gewalttaten schritten.

Böll: ein Radikaler! Als ob das verurteilenswert wäre: radikal zu sein! Als ob „radikal“ nicht ein Ehren-Wort der Aufklärer war und mit dem Begriff „Radikaler“ sich Bürger ausgezeichnet sahen, die dem Übel an die Wurzel gingen, statt nur Symptome zu heilen. „Daher muß eigentlich ein jeder, welcher die Unvollkommenheit eines gegebenen Zustands erkennt und auf Heilung derselben denkt, ein Radikaler sein“: ein Zitat aus Brockhaus’ Conversationslexikon von 1836, ein Satz aus einem Artikel, der, von bürgerlichem Freisinn zeugend, radikale Reform mit der Veränderung auf verfassungsmäßigem Weg identifiziert. So sprach man einst … und wenn man heute anders spricht und glaubt, sich von den Linken zu trennen, dann trennt man sich in Wahrheit von den fortschrittlichen Elementen bürgerlicher Überlieferung, zerschneidet den Faden, der zum Freiheitsdenken der Aufklärung führt, weil man fürchtet — und dies zu Recht —, daß in der sozialen Demokratie für alle verwirklicht werden könnte, was die liberale Einzelnen versprach! So betrachtet ist die Attacke gegen den Radikalismus, bei der nicht mehr gefragt wird, zu welchem Ziel und mit welchen Mitteln denn die Gesellschaft radikal verändert werden soll — eine Attacke gegen jene humanistische Tradition der Wissenschaft, die es, so bescheiden sie sich auch ausnimmt, in diesem Lande denn doch auch gegeben hat. Nicht nur Karl Marx hat, um der Veränderung aller Verhältnisse willen, in denen der Mensch ein elendes, erniedrigtes und beleidigtes Wesen ist, die Devise „Proletarier aller Länder vereinigt euch“ geprägt … es gab — ein Beispiel, das für hundert andere steht — auch einen Arzt, der von den Behörden nach Schlesien beordert wurde, um dort nach den Ursachen der Typhus-Epidemie zu fahnden. Er fuhr hin, dieser Arzt, sah sich um und erklärte nach seiner Rückkehr, nur die „Association der Besitzlosen“ könne bewirken, daß die Menschen aufhörten, bloße Maschinen anderer zu sein: Einzig die Association der besitzlosen Arbeit mit dem Capital sei das Mittel, um den sozialen Zustand zu bessern. „Capital und Arbeit“, schrieb dieser Mann, „müssen mindestens gleichberechtigt sein und es darf nicht mehr die lebendige Kraft dem toten Capital unterwürfig sein.“ Geschrieben im Jahre 1849; geschrieben von einem bürgerlichen

Reformer, der heute als radikaler Heilslehrer und Utopist denunziert würde: sein Wort in Hahns und Maiers Ohr! Rudolf Virchows Wort ins Ohr aller derjenigen, die in gewerkschaftlicher Organisation, im Entwurf von Mitbestimmungsmodellen und — als Voraussetzung dazu — in der Beförderung humaner Radikalität einen Vorstoß gegen angeblich unverzichtbare Spielregeln sehen, die heute wie damals im Raum der Wissenschaft Respektierung beanspruchen müßten. Mögen die Virchow und Mommsen — der alte Achtundvierziger —, die Gervinus und Humboldt Ausnahmen gewesen sein, die die Regel bestätigen: daß sich eine scheinbar unpolitische, auf Wertsetzungen verzichtende Wissenschaft der Kontrolle über das von ihr Verlangte begibt und so gerade wegen ihres unpolitischen Selbstverständnisses mühelos politisiert werden kann ... sie haben Zeichen gesetzt, die progressiven Wissenschaftler in der heroischen Phase des Bürgertums, und es ist Sache der wahrhaft Liberalen und Sozialisten in diesem Land, ein Erbe fortzusetzen, das die Konservativen verrieten: Rudolf Virchow, zu seiner Zeit wegen „Reformvorschlägen und politischer Betätigung" des Amtes enthoben, stünde — im Zeichen des Stuttgarter Schreibens vom 2. Juni 1972 — auch heute am Pranger ... und was für ihn gilt, gilt — abermals, stellvertretend, ein Beispiel — in gleicher Weise für einen Wissenschaftler wie Einstein ... Einstein, der erklärte, der erste Weltkrieg sei angestiftet worden von „der herrschenden Klasse in Deutschland", Einstein, der in seinem Traktat „Warum Sozialismus?" die Verkümmerung des Einzelmenschen als schlimmstes Übel der kapitalistischen Profitwirtschaft bezeichnete. Einstein, der Radikale (hätte man ihn nach solchen Thesen bedenkenlos zum Beamten ernannt?), Einstein, der Utopist und Ideologe, ein Radikaler und Heilslehrer ... oder wie immer, auf die Urheber zurückprallend, die Schimpfworte lauten ... die zum Teil übrigens kontradiktorisch sind. Der Springer-Presse und dem ZDF-Magazin sei die Lektüre von Karl Mannheims — man kann's auch bei Hofmann nachlesen — „Ideologie und Utopie" anempfohlen. Ideologisches Denken ist Denken der herrschenden Gruppen, utopisches dagegen Denken der Unterdrückten, denen es auf die Umformung der gegebenen Gesellschaft ankommt.

Utopist oder Ideologe: eins von beiden geht nur, und was das Schmähwort „Heilslehrer“ angeht, so frage ich mich, ob denn ein Heilslehrer wirklich schlechter als ein Unheilslehrer ist, wenn es um jenes Wohl und Wehe der Gesellschaft geht, dessen Veränderung zum Guten hin der Pluralismus der Wissenschaft, wie er hier verstanden wird, befördern hilft.

Plädoyer für einen Pluralismus der Wissenschaft ... das meint aber vor allem, nun in einer anderen Bedeutung des Worts: Vertretung einer Wissenschaft, die statt sich selbst genug zu sein, der Sozietät zugewandt ist, der sie dient und die sie infrage stellt, indem sie die bestehende Gesellschaft, vorgriffsartig und vergleichsweise, an einer als möglich vorgestellten humaneren und sozialeren Ordnung der Zukunft mißt: „Dem Egoism“, schreibt Kant in der Anthropologie, „kann nur der Pluralism entgegengesetzt werden ... d. i. die Denkungsart, sich nicht als die ganze Welt in seinem Selbst befassend, sondern als einen bloßen Weltbürger zu betrachten und zu verhalten.“ Pluralismus heißt also, auf die Wissenschaft bezogen, die Privatheit eines nur sich selbst verantwortlichen Metiers zu leugnen und, mit Kant, „das Dasein anderer, mit mir in Gemeinschaft stehender Wesen“ zu realisieren ... und es nicht nur zu realisieren, sondern, Wirklichkeit und Möglichkeit miteinander vergleichend (wer, wenn nicht der Wissenschaftler könnte das?) dazu beizutragen, daß die Produktivkräfte, die ein menschenwürdiges Leben für alle gewährleisten könnten, nicht länger durch soziale Verhältnisse gedrosselt werden, die, wo Reichtum möglich wäre, das Elend belassen. „Können wir uns der Menge verweigern“, heißt es in Brechts Galilei, „und doch Wissenschaftler bleiben? ... Ich halte dafür, daß das einzige Ziel der Wissenschaft darin besteht, die Mühseligkeit der menschlichen Existenz zu erleichtern. Wenn Wissenschaftler, eingeschüchtert durch selbstsüchtige Machthaber, sich damit begnügen, Wissen um des Wissens willen aufzuhäufen, kann die Wissenschaft zum Krüppel gemacht werden und neue Maschinen mögen nur Drangsale bedeuten.“

Ich denke, man kann, in der Sprache der Poesie, nicht exakter umschreiben, was, in der Diktion des Philosophierenden Jakobiners aus Königsberg, Pluralism bedeutet. Pluralismus der

Wissenschaft meint, im Kantschen Sinne: allgemeine objektive Bedürfnisse über partikulare Interessen zu stellen und die Verfügungsgewalt des abstrakten Individuums in der Freiheit der solidarisch Produzierenden aufzuheben. Das heißt konkret: Eine Wissenschaft, die unter „Praxis-Bezug" und „gesellschaftlicher Relevanz" versteht, die Universität müßte zunächst einmal auftragsfähig für die herrschende Schicht in dieser Gesellschaft sein, ohne zu bedenken, daß sie damit jene Schicht preisgeben könnte, deren Existenz, mit Werner Hofmann zu reden, den objektiven Möglichkeiten der Gesellschaft am meisten widerspricht. ... eine solche unkritische Wissenschaft sollte auf den von Brecht geforderten hippokratischen Eid für alle Wissenschaftler lieber verzichten ... es würde ein Meineid daraus.

Den Schwur ablegen, ihr Wissen zum Wohle der Menschheit anzuwenden, kann allein eine Wissenschaft, die zum ersten ihre Autonomie — die Autonomie einer demokratischen Institution selbstverständlich — zu verteidigen versteht, weil sie weiß, daß sie der Gesellschaft nur als deren kritischer Widerpart und nicht als ein fungibles Element dienen kann, das, beschränkt auf pure Funktionalität, von den jeweils dominierenden Interessen nach Belieben zu manipulieren ist.

Den hippokratischen Eid ablegen kann zum zweiten nur eine demokratisch orientierte Wissenschaft, die sich, radikal unterschieden von den nach staatlichem Eingriff verlangenden Freiheitsbund-Sprechern, allen Plänen zu widersetzen weiß, die eine erweiterte Hochschul-Kompetenz der Länder, bis hin zur Fachaufsicht, fordern. (Man schaue nach Konstanz: Da ist nicht mehr die Rede von Ruhe und Ordnung: eine Ordnung, die nicht meine Ordnung ist, sagt der Minister, ist überhaupt keine Ordnung.) Wie hellseherisch muten in diesem Augenblick die Schleiermacherischen Gedanken über die Universitäten im deutschen Sinn an, die mit aller Schärfe den Interessenskonflikt zwischen der Wissenschaft und einem Staat analysieren, der allein an der raschen Verwertbarkeit realer Kenntnisse interessiert ist. Die Diagnose stimmt — mutatis mutandis selbstverständlich heute wie damals. Nicht „das Geschlecht erfinderischer Zwerge", so Brecht, „die für alles gemietet werden können", sondern nur jene demokra-

tischen Wissenschaftler können den Eid schwören, die Begriffe wie „gut“ und „böse“ zwar als gesellschaftlich veränderbare, kritisch zu hinterfragende Kategorien ansehen ... aber eben doch als Größen, denen sich jede Wissenschaft verpflichtet weiß und die nicht — per se — ins Reich der Dogmatik gehören.
Ein Plädoyer für den Pluralismus der Wissenschaft als eine wissenschaftspolitische Forderung: Chancengleichheit für *alle* Lehrmeinungen — hat auch zu betonen, daß sich die Wertigkeit einer Theorie danach bemißt, in welcher Weise sie zur Beförderung des weltbürgerlichen Pluralism in einer nicht mehr von Klassenantagonismen bestimmten Gesellschaft beiträgt.
Diese Aufgabe ist uns allen gestellt: Wir haben darauf zu bestehen, daß die Forderung, die Rudolf Virchow vor 130 Jahren aufstellte: volle und unumschränkte Demokratie, gleiches Recht für jedermann, realisiert wird; wir haben uns dagegen zu wehren, daß die inzwischen auch von der Jungen Union als Reaktionäre gebrandmarkten Vertreter vom Bund Freiheit der Wissenschaft und ihre Interessenswahrer in Ministerien, Parteien, Massenmedien und Wirtschaft sich auf eine bürgerliche Wissenschaft berufen, deren progressive Vertreter es nicht verdient haben, als Eideshelfer für die Sache der Reaktion herhalten zu müssen: Ein Boot, in dem zugleich ein Platz für Maier und Gervinus ist, gibt es nicht. Virchow und Einstein waren radikal und sind es heute noch ... radikal wie anno 72 die Thesen des Ahlener Programms und die Sozialartikel jenes Grundgesetzes sind, das, an der Verfassungswirklichkeit gemessen, längst revolutionären Charakter gewonnen hat.
Dies alles gilt es zu verteidigen: Wir stehen mit dem Rücken zur Wand; wenn wir uns nicht zusammenschließen, Marxisten, Radikaldemokraten und Liberale, wenn wir uns auch in Zukunft nur in den Verlautbarungen der Hahns vereint wissen wollen und nicht, auf breiter Basis, gewerkschaftlich-solidarisch handeln, dann könnte nicht nur die Wissenschaft, in dieser Republik, ihre Freiheit verlieren.

Reinhard Kühnl

Wissenschaft und Hochschule im demokratischen und sozialen Rechtsstaat

Wenn bei diesem Kongreß von „Wissenschaft und Demokratie“ oder vom „Bund demokratischer Wissenschaftler“ die Rede ist, so wird vorausgesetzt, daß Wissenschaft und Demokratie etwas miteinander zu tun haben. Der Demokratiebegriff, der dieser Voraussetzung zugrunde liegt, bedarf offenbar der Erläuterung. Demokratie wird hier nämlich verstanden von ihrem Zweck, von ihrem Inhalt her: Sie soll Selbstbestimmung aller Mitglieder der Gesellschaft in einem maximalen Ausmaß, die „freie Entfaltung der Persönlichkeit“, wie es in Art. 2 des Grundgesetzes heißt, und die größtmögliche Befriedigung der materiellen, geistigen und seelischen Bedürfnisse der Menschen gewährleisten. Demokratische Spielregeln sind nur Mittel zu diesem Zweck, nicht der Zweck selbst, sind nur Bedingungen der Demokratie, noch nicht diese selbst.

Für Wissenschaft, die sich der Demokratie verpflichtet fühlt, ergeben sich daraus vielfältige Konsequenzen. Sie muß sich ihrer gesellschaftlichen Verantwortung bewußt sein, und sie muß sich der Tatsache bewußt sein, daß diese Verantwortung in den letzten Jahrzehnten enorm angewachsen ist. Die weitreichenden Folgen, die Naturwissenschaft und Technik für die Verbesserung der Lebensbedingungen oder für deren Zerstörung, die Sozialwissenschaften und Psychologie für die Emanzipation der Menschen oder für ihre Entmündigung haben, sind für jedermann evident. Mit Recht hat deshalb das hessische Universitätsgesetz diese gesellschaftliche Verantwortung betont und es jedem Wissenschaftler zur Pflicht gemacht, die gesellschaftlichen Folgen seines wissenschaftlichen Tuns mitzubedenken. Wissenschaft hat eine gesellschaftliche Funktion — ob die Wissenschaftler das wollen oder nicht, und ob sie es wissen oder nicht. Die Frage ist nur, welches die Ziele und Interessen sind, in deren Dienst sie steht. Demokratische Wissenschaft begreift sich also nicht als wertfrei und zweckneutral, sondern als ein Mittel zur Humanisierung des Daseins, zur materiellen, geistigen und seelischen Bereicherung der menschlichen Existenz. Sie muß also Stellung beziehen gegen Elend, Entmündigung und Unterdrückung, gegen Strukturen und Ideologien, die Elend, Entmündigung und Unterdrückung verfestigen, für jene gesellschaftlichen Gruppen, die davon betroffen sind, und gegen jene Gruppen und Interessen, die davon profitieren. Und sie muß Bedingungen und Möglichkeiten aufzeigen, wie solche Zustände in Richtung auf mehr Humanität und mehr Demokratie verändert werden können. So haben Alexander Mitscherlich und andere auf den Zusammenhang zwischen Privateigentum an Grund und Boden, Bodenspekulation und der Misere auf dem Wohnungssektor hingewiesen, Vilmar und andere auf den Zusammenhang zwischen Kapitalinteressen, Rüstungswirtschaft und der Misere im Bildungs- und Gesundheitswesen.

In diesem Zusammenhang muß betont werden: Die für unser Verfassungssystem zentrale Formel vom demokratischen und sozialen Rechtsstaat ist nicht als bloße Beschreibung des Bestehenden zu verstehen, sondern als ein permanenter Auftrag, diesen demokratischen und sozialen Rechtsstaat herzustellen, d. h. die Gesellschaft durch immer neue Anstrengung zu verändern. Die Argumentationsweise der Konservativen, durch die schlichte Formel „unsere parlamentarische Demokratie" den Status quo als Demokratie zu definieren, womit dann jeder, der diesen Status quo verändern will, per definitionem als Feind der Demokratie gebrandmarkt ist, entspricht nicht dem Demokratieverständnis des Grundgesetzes, das in Art. 15 ausdrücklich auch die Vergesellschaftung von Grund und Boden, Bodenschätzen und Produktionsmitteln zuläßt.

Wird das Verhältnis von Wissenschaft und Demokratie in dieser Weise bestimmt, so läßt sich daraus ein Programm für die konkrete Entwicklung von Wissenschaft und Hochschule gewinnen, das hier natürlich nur in den Grundzügen skizziert werden kann:

1. Gesellschaftsordnung und Bildungswesen müssen so gestaltet sein, daß alle Mitglieder der Gesellschaft die gleichen Möglichkeiten haben, ihre Anlagen allseitig und optimal zu entfalten. Mit diesem *Recht auf Bildung* ist die soziale Selektion für die höheren Stufen des Bildungswesens ebenso unvereinbar wie die Be-

nachteiligung der Frauen, das herkömmliche Dreistufensystem ebenso wie der gegenwärtige Zustand der Lehrlingsausbildung. Vorab aber verlangt das Recht auf Bildung, daß ausreichende finanzielle Mittel für Wissenschaft und Bildung zur Verfügung gestellt werden. Einem Land mit der Produktivkraft der Bundesrepublik ist das möglich, ohne die steuerliche Belastung der Lohn- und Gehaltsempfänger zu erhöhen. Allerdings müßten dabei Tabus wie der Rüstungshaushalt und die skandalöse Vermögens- und Einkommensverteilung angetastet werden.

2. *Forschungsziele und Lehrinhalte* müssen sich an den Grundsätzen von Humanität und Emanzipation orientieren. Wissenschaftliche Forschung darf also weder den privaten Neigungen der Hochschullehrer überlassen werden noch den Privatinteressen ökonomischer Machtgruppen, die Wissenschaft und Hochschule in wachsendem Maße für ihre Zwecke einzusetzen versuchen: denn die gesamte Gesellschaft hat die Kosten aufzubringen und die Folgen zu tragen. Daß beträchtliche Teile der Forschung damit beschäftigt sind, immer effektivere Methoden zur Manipulation der Menschen im Dienste kommerzieller Interessen oder zur massenhaften Vernichtung von Menschen im Dienste angebbarer Herrschaftsinteressen auszuarbeiten, zeigt an, wieviel hier noch zu verändern ist. Und die Lehrinhalte müssen geeignet sein, dem Studenten die Welt, in der er lebt, begreiflich zu machen, ihm ein methodisches Instrumentarium zu liefern, mit dessen Hilfe er selbständig Probleme von Natur und Gesellschaft analysieren kann. Eine Ausbildung zu tüchtigen Spezialisten, die zwar über brauchbare technische Fertigkeiten verfügen, aber Funktion und Stellenwert ihrer Tätigkeit nicht begreifen und nicht reflektieren und also zu beliebigen Zwecken einsetzbar sind, bedeutet nicht nur die geistige und seelische Verstümmelung der Lernenden, sondern auch die Gefahr der Inhumanität: Die Ärzte und Juristen, Historiker und Naturwissenschaftler, die dem Faschismus dienten, sind dafür ein instruktives Beispiel. Ihrem eigenen Bewußtsein nach waren sie oft ganz unpolitische Fachleute, die völlig wertfrei Wissenschaft betrieben. Mit einer nur auf Steigerung der Effektivität bedachten Hoch-

schulreform — eine größere Zahl von kenntnisreicheren Fachleuten in kürzerer Zeit — ist der Demokratie also nicht gedient.

3. Die *Lehrformen* müssen geeignet sein, die Lernenden zu selbständigem Denken und kritischem Urteil zu erziehen — und nicht zur fraglosen Übernahme des Angebotenen und zum Gehorsam gegenüber den etablierten Autoritäten. Das setzt erstens voraus, daß die Studenten an der Auswahl der Probleme und der Planung und Gestaltung der Lehrveranstaltungen aktiv beteiligt sind; und es setzt zweitens voraus, daß sie Gelegenheit haben, kontroverse Lehrmeinungen kennenzulernen. Schon von hier aus kann also die Notwendigkeit des Pluralismus in den wissenschaftlichen Lehrmeinungen begründet werden, der überhaupt eine Grundbedingung des demokratischen Rechtsstaats und einer freien Wissenschaft darstellt. Daß gerade diejenigen, die die Formel von der „Freiheit der Wissenschaft" ständig im Munde führen, bisher alles getan haben, um oppositionelle Lehrmeinungen zu unterdrücken, gibt Auskunft über deren Begriff von Wissenschaftsfreiheit und Demokratie und macht zugleich sichtbar, daß sie die freie Konkurrenz der Argumente zu fürchten haben. Festzuhalten bleibt, daß bisher in den meisten Fachbereichen von einem Pluralismus der Lehrmeinungen noch keine Rede sein kann, daß es ihn erst herzustellen gilt. Dieser klare Tatbestand wird systematisch verdunkelt durch eine gezielte Kampagne der restaurativen Kräfte in Wissenschaft und Gesellschaft, die den Anschein erwecken, als sei die Freiheit der Wissenschaft von den wenigen Marxisten bedroht, die bisher auf Lehrstühle gelangt sind und kaum ein Prozent der Professoren ausmachen dürften. Hier wie in vielen anderen Fällen — es sei nur an das Schreckbild von Chaos und Leistungsverfall erinnert, das von gleicher Seite verbreitet wird — müssen unsere Aufklärungsbemühungen einsetzen, um die Öffentlichkeit zunächst einmal über die wirkliche Lage an den Hochschulen zu informieren. Erst dann kann sie für demokratische Reformbestrebungen gewonnen werden.

4. Dies alles kann nur erreicht und abgesichert werden, wenn auch die *formale Organisation* von Wissenschaft und Hochschule den Grundsätzen der Demokratie entspricht. Die Willensbildung muß transparent sein: Über Berufungen, Lehrprogramme

und Forschungsprojekte muß öffentlich verhandelt werden, und alle an der Hochschule arbeitenden Gruppen müssen an der Willens- und Entscheidungsbildung angemessen beteiligt sein. Die Behauptung von der fehlenden Qualifikation bei Assistenten und Studenten, die Negativkataloge, d. h. die Beschränkung der Mitbestimmung auf sekundäre Fragen, rechtfertigen soll, ist nichts als Ideologie zur Absicherung eigener Monopolansprüche. In Wahrheit sind es die Studenten und in zweiter Linie die Assistenten gewesen, die die demokratische Hochschulreform vorangetrieben und für eine stärkere Berücksichtigung bisher vernachlässigter Gebiete in Lehre und Forschung gekämpft haben: von Arbeitsmedizin und Rechtssoziologie, Psychoanalyse und Arbeiterbewegung. Daß die Ordinarienuniversität sich gegen solche Fragestellungen gesperrt hat und die konservativen Kräfte sich heute noch dagegen sperren, verweist darauf, daß es sich hier nicht um rein fachspezifische Probleme handelt, über die fachlich Qualifizierte wertfrei befinden, sondern um Probleme, die eine wichtige politische und gesellschaftliche Dimension enthalten. Gerade solchen wissenschaftlichen Fragestellungen, die überkommene Herrschaftsstrukturen gefährden, mußten von der Reformbewegung gegen den Widerstand der fachlich angeblich allein qualifizierten Ordinarien durchgesetzt werden.

5. Ähnlich stellt sich das Problem der *Mitbestimmung* in den Wissenschaftsbereichen *außerhalb der Hochschule:* in Forschungsinstituten, in Krankenhäusern, in Industriebetrieben, in der Verwaltung und im Bereich der Verbreitung von Wissenschaft, also in den Massenmedien, den Schulen und den Institutionen der Erwachsenenbildung. Die Max-Planck-Gesellschaft hat auch auf ihrer letzten Tagung im Juni dieses Jahres wieder jede wirkliche Mitbestimmung der wissenschaftlichen Mitarbeiter abgelehnt und die Herrschaft der Institutsdirektoren der Sache nach aufrechterhalten. In den Krankenhäusern ist die Herrschaft der Chefärzte, die mit enormen finanziellen Privilegien verbunden ist, bislang ungebrochen. In den Industriebetrieben und Planungsbehörden kann zwar ein kleiner Teil der wissenschaftlich Ausgebildeten zu den Herrschenden aufsteigen, doch der weit größere und ständig wachsende Teil der Naturwissenschaftler, Inge-

nieure, Techniker und Sozialwissenschaftler ist von jeder wirklichen Mitbestimmung ausgeschlossen, ist lohnabhängig und fremdbestimmt wie der Arbeiter und Angestellte, wenn er in mancher Hinsicht auch gewisse Vorteile erhält. Daß diese Schicht der technischen und naturwissenschaftlichen Intelligenz sich zunehmend dem Status der Lohnabhängigen nähert, kommt auch darin zum Ausdruck, daß sie sozial schon fast ebenso ungesichert sind wie diese. Die hohe Arbeitslosigkeit bei dieser Intelligenz gerade in dem am weitesten fortgeschrittenen kapitalistischen Land, den USA, und entsprechende Prognosen über ein akademisches Proletariat in den westeuropäischen Ländern sind typische Symptome. Solange die Wirtschaft nach dem Prinzip des privaten Gewinns für die Kapitalbesitzer betrieben wird — und nicht nach dem Prinzip gesellschaftlicher Bedürfnisbefriedigung —, solange die Wirtschaft in der Verfügungsgewalt einer kleinen privilegierten Minderheit sich befindet — und nicht in der Verfügungsgewalt der Gesamtgesellschaft —, wird es auch diese soziale Unsicherheit für die Lohn- und Gehaltsempfänger geben. Die Durchsetzung einer wirklichen Mitbestimmung wäre ein erster und wesentlicher Schritt, um die soziale Sicherheit zu erhöhen und überdies das Recht auf freie Entfaltung der Persönlichkeit auch für die Lohn- und Gehaltsempfänger von einer schönen Floskel in soziale Wirklichkeit zu verwandeln. In den Massenmedien wäre Demokratisierung schon deshalb notwendig, weil nur so garantiert werden kann, daß die Öffentlichkeit über die Lage von Wissenschaft und Hochschule und über die Resultate wissenschaftlicher Forschung zutreffend informiert wird. In diesem Bereich liegt das Problem erstens darin, daß die gesellschaftliche Aufgabe von Presse- und Buchverlagen, nämlich die Information, ständig mit der privaten Zwecksetzung der Besitzer, maximalen Gewinn zu erzielen, in Konflikt gerät, und zweitens darin, daß Verfügungsgewalt über beträchtliche Kapitalien erforderlich ist, um überhaupt in den Kreis derer eintreten zu können, die Informationen und Meinungen verbreiten. Auch hier ist der Kampf um Mitbestimmung nicht nur ein Kampf um bessere Arbeitsbedingungen und mehr soziale Sicherheit für die Arbeiter und Angestellten solcher Betriebe, sondern zugleich ein Kampf dafür, daß die für die Demokratie lebenswichtige Aufgabe der Information überhaupt hinreichend wahrgenommen werden kann und auch kritische Ansichten zum Zuge kommen können. Daß Demokratisierung auch in den Anstalten des öffentlichen Rechts wie Rundfunk und Fernsehen, in den Schulen und den Institutionen der Erwachsenenbildung sowohl im Interesse der dort Arbeitenden als auch im Interesse der Gesamtgesellschaft an besserer Information und Ausbildung liegt, dürfte evident sein, auch wenn die je spezifische Ausprägung hier nicht im einzelnen dargestellt werden kann.

6. Die unabdingbare Voraussetzung dafür, daß die demokratische Reformbewegung sich überhaupt entfalten kann, besteht offensichtlich darin, daß es gelingt, *das demokratische Verfassungssystem* gegen seine vielfältigen Bedrohungen zu verteidigen. Dabei hat uns gerade die deutsche Geschichte gelehrt, daß diese Bedrohung auch von der Staatsgewalt selbst ausgehen kann. Es sind die konservativ-reaktionären Kräfte in der Justiz gewesen, die durch ihre Rechtsprechung die Verfassungsordnung der ersten deutschen Demokratie ausgehöhlt haben; es ist die Exekutive gewesen, die dann nach 1930 die Demokratie schrittweise zerstört hat; und es ist schließlich das Parlament gewesen, das diese Demokratie durch das Ermächtigungsgesetz selbst vollends liquidiert hat — dies alles unter der Parole, daß die staatliche Ordnung gegen Gefahren von links geschützt werden müsse. Sicherlich kann die Bundesrepublik in dieser Hinsicht mit der Weimarer Republik nicht ohne weiteres gleichgesetzt werden. Andererseits sind solche Tendenzen auch in der Bundesrepublik klar zu erkennen. Sie wurden deutlich in der Diffamierung und Verfolgung kritischer Kräfte in der Periode des Kalten Krieges, als schon jeder, der für die Erweiterung der Mitbestimmung oder für die Anerkennung der bestehenden Grenzen und der DDR eintrat, Gefahr lief, als Agent Pankows denunziert und behandelt zu werden; dann in der Notstandsgesetzgebung, die die demokratischen Rechte und rechtsstaatlichen Sicherungen zugunsten der staatlichen Exekutive wesentlich einschränkte und sogar eine Telefonüberwachung legalisierte, gegen die die betroffenen „verdächtigen“ Bürger völlig schutzlos sind; und zu-

letzt in den Beschlüssen der Ministerpräsidenten zum Berufsverbot, durch die zentrale Teile des Grundgesetzes wie die Art. 3, 5, 12, 18, 21 und 33 verletzt und elementare Grundsätze des Rechtsstaats beiseite geschoben werden. Bedenkt man, daß damit die Verdachtszone beinahe beliebig auf alle unbequemen wissenschaftlichen und politischen Positionen ausgedehnt werden kann, bedenkt man ferner, daß die Staatsorgane, in deren Macht das liegt, in erheblichem Maße von Kräften durchsetzt sind, die dem faschistischen System treu gedient haben (von der Ministerialbürokratie bis zu den Geheimdiensten, von der Justiz bis zur Verwaltung) oder mit den Herrschaftssystemen in Spanien, Portugal und Griechenland sympathisieren, und betrachtet man schließlich, wen die politische Rechte in Interpretation dieser Beschlüsse bereits jetzt zu den verfassungsfeindlichen Kräften zählt — nämlich DKP, SdAJ und Spartakus, SHB und VDS, Jungsozialisten und Jungdemokraten, Teile der Gewerkschaften und Teile der Kirchen —, so kann man das Ausmaß der Bedrohung abschätzen, dem die demokratische Verfassungsordnung gegenwärtig durch den Trend nach rechts ausgesetzt ist. Natürlich vollzieht sich auch diesmal — wie in der Weimarer Republik — dieser Abbau der Demokratie unter der Parole, daß es Recht und Ordnung gegen die Gefahr von links zu schützen gelte. Und solche Erscheinungen wie die Gewalttaten der Baader-Meinhof-Gruppe sind dann ein willkommener Anlaß, um dieser Politik einen falschen Anschein von Berechtigung zu vermitteln.

Aus dieser Lage von Wissenschaft und Hochschule folgt, daß alle Wissenschaftler sich zusammenschließen müssen, die an der Verteidigung des demokratischen Verfassungssystems und an einer Demokratisierung von Wissenschaft und Hochschule interessiert sind. Hier liegen offensichtlich starke gemeinsame Interessen all derer, die es mit der Demokratie ernst meinen, von Liberalen bis zu Marxisten. Politisch effektiv aber können diese gemeinsamen Interessen erst dann werden, wenn sie sich als Organisation formieren und von hier aus auf die öffentliche Meinung, die Parteien und die Ministerien einwirken. Erst dann wird auch evident werden, daß der Monopolanspruch des Bundes „Freiheit der Wissenschaft“ gänzlich unbegründet ist, daß er

keineswegs für die Hochschullehrer generell zu sprechen befugt ist und daß viele Wissenschaftler eine demokratische Reform von Wissenschaft und Hochschule befürworten und auch entschlossen sind, dafür zu kämpfen.
Dieser Kampf aber kann nicht allein von einer Organisation demokratischer Wissenschaftler geführt, sondern muß eingeordnet werden in den allgemeinen Kampf um Demokratisierung dieser Gesellschaft. Schon von hier aus ergibt sich die Notwendigkeit, mit den Gewerkschaften eng zusammenzuarbeiten. Diese gewerkschaftliche Orientierung ergibt sich aber auch daraus, daß, wie oben dargestellt, sich die Lage der wissenschaftlichen Intelligenz besonders außerhalb der Hochschulen tendenziell der Lage der übrigen Lohn- und Gehaltsempfänger nähert — sowohl in Hinsicht auf die Fremdbestimmtheit in ihrer Arbeit wie in Hinsicht auf die soziale Unsicherheit.
Der Kampf um eine demokratische Reform von Hochschule, Wissenschaft und Gesellschaft wird langwierig und beschwerlich sein. Starke Interessen und Machtgruppen stehen dem entgegen. Es sind jene Kräfte, die in Hochschule und Massenmedien, in Wirtschaft und Gesellschaft ihre Herrschaftspositionen und die damit verbundenen sozialen Privilegien durch eine Demokratisierung bedroht sehen. Von dieser zahlenmäßig kleinen radikalen Minderheit, die allerdings über enorme Machtmittel verfügt, geht die wirkliche Gefahr für die Freiheit der Wissenschaft aus. Dennoch, so meine ich, können wir optimistisch sein. Denn unsere Ziele sind richtig, weil sie der Humanisierung der Gesellschaft und der Emanzipation des Menschen dienen, weil sie also im Interesse der großen Majorität der Gesellschaft — ja, recht verstanden, der gesamten Gesellschaft liegen und weil sie schließlich die Macht und das Recht der Geschichte auf ihrer Seite haben: Seit fast 200 Jahren entwickelt sich der historische Prozeß in Richtung auf mehr Demokratie; und dieser Prozeß, der in den letzten Jahrzehnten globale Dimensionen erreicht hat, wird auch von den rückwärts gewandten Kräften in der Bundesrepublik nicht aufgehalten werden: nicht vom Bund „Freiheit der Wissenschaft“, nicht vom ZDF-Magazin, nicht von der CSU und nicht von den Unternehmerverbänden.

Andreas Lennert
Nichteinstellung von „Radikalen“ im Öffentlichen Dienst

In der Geschichte der europäischen Staaten hatten Verfassungen in der Regel die Aufgabe, die Linie eines — ständig labilen — Waffenstillstandes zwischen gegensätzlichen gesellschaftlichen Interessen und den sie tragenden Gruppen zu beschreiben. Am Grundgesetz ist der Kompromiß zwischen den gesellschaftspolitischen Vorstellungen eines partiell liberalen Bürgertums und denen der sozialdemokratisch orientierten Arbeiterschaft deutlich ablesbar. Dieser Kompromiß findet seinen Ausdruck in der Formel vom demokratischen und sozialen Rechtsstaat. Die Bewahrung der nach dem blutigen Ende des Faschismus gerade erst wieder errungenen bürgerlichen Freiheiten, insbesondere des Rechtsstaatsprinzips, die demokratische Teilhabe aller Bevölkerungsgruppen an der staatlichen Willensbildung und die Sozialstaatsklausel bezeichnen die Einigungsformel des 1949er Verfassungskompromisses.

Der Widerspruch zwischen der Forderung nach demokratischer Teilhabe aller Bevölkerungsgruppen und einer auf dem Privatbesitz an Produktionsmitteln beruhenden Wirtschaftsstruktur blieb 1949 ungelöst. Aber das Grundgesetz ließ den Weg zu „mehr Demokratie“ durchaus offen. Der Verfassungstext gestattet die Entwicklung der Verfassungswirklichkeit nach vorwärts. Der Kampf um die Ausdehnung demokratischer Strukturen auf ökonomische Machtpositionen ist durch das Grundgesetz gedeckt. Der Kampf um die demokratische Kontrolle der Produktionsmittel ist auch dann verfassungskonform, wenn — wie aus einer Umfrage der Zeitschrift „konkret“ hervorgeht — hohe gesellschaftliche und staatliche Spitzenfunktionäre den Artikel 15 des Grundgesetzes für eine Forderung der Jungsozialisten oder gar für einen Auszug aus dem Parteiprogramm der DKP halten.

Dagegen wollte der Verfassungsgeber feste Barrieren gegen eine gesellschaftliche Entwicklung nach rückwärts errichten. Ein-Parteien-Diktatur, Führer-Staat, Unterdrückung von Bevölkerungsminderheiten aus religiösen, rassischen oder politischen Gründen sind mit dem Grundgesetz nicht vereinbar, ja sogar — und dies ist ein wesentlicher Unterschied zur Weimarer Verfassung — der politische Kampf für diese Ziele unterliegt dem grundgesetzlichen Verbot. Das Grundgesetz nimmt Partei gegen Rechtsextremismus und eine Rückkehr zum Faschismus, es legalisiert aber ausdrücklich politische Bestrebungen, die erst im Sozialismus die Möglichkeit zu einer konsequenten Verwirklichung der vom Liberalismus postulierten bürgerlichen Freiheiten sehen. Der Kampf für eine sozialistische oder für eine faschistische Veränderung unserer Gesellschaftsstruktur wird vom Grundgesetz gerade nicht gleichgesetzt. Das Grundgesetz verlangt von Sozialisten nur, daß sie die bürgerlichen Freiheiten nicht mit dem Ziel ihrer Zerstörung mißbrauchen, sondern sie in einer sozialistischen Demokratie bewahren.

Diese Besinnung auf die Intentionen des Verfassungsgebers ist auch dann notwendig, wenn wir wissen, daß der im Grundgesetz ermöglichte Weg zu einer sozialistischen Demokratie in der Bundesrepublik bisher nicht gegangen wurde. Die Tatsache, daß von der Verfassung ermöglichte historische Entwicklungen nicht eingeschlagen wurden, setzt die entsprechenden Verfassungstexte nicht außer Kraft. Diese Tatsache ist übrigens *denen* am stärksten bewußt, die an der Erhaltung des gesellschaftlichen Status quo am meisten interessiert sind. Die organisierte Unternehmerschaft war schon immer daran interessiert, den *gesellschaftlichen* Status quo zur *verfassungsrechtlichen* Norm zu erheben. Seit einiger Zeit wird dieser Versuch erneut und mit besonderer Heftigkeit betrieben. Im Widerspruch zum Grundgesetz wird etwa von den Zeitungen des Springer-Konzerns der Versuch gemacht, alle politischen Zielvorstellungen, die von der Programmatik der im Bundestag vertretenen Parteien abweichen, als verfassungswidrig zu verurteilen, unabhängig davon, ob sie eine Entwicklung der Bundesrepublik nach vorwärts oder nach rückwärts anstreben. Für die Gewerkschaften ist dieser Versuch an sich nichts Neues. Schon immer wurden sie warnend auf die angeblichen Grenzen des Grundgesetzes hingewiesen, wenn sie eine Veränderung der Gesellschaftsstrukturen und des kapitalistisch-marktwirtschaftlichen Systems im Interesse der Arbeitnehmer forderten. Vor kurzem war allerdings in der Zeitung „Die Welt“ ein besonderer Höhepunkt antigewerkschaftlicher, einengender Verfassungsinterpretation zu lesen. Wenige Tage vor dem Bundeskongreß des DGB wurde von diesem Blatt *allein* der Anspruch der Gewerkschaften, eine Interessenvertretung der Arbeitnehmer unabhängig von den Parteien zu betreiben, als verfassungswidrig verurteilt. Diese Theorie führt konsequenterweise dazu, die *Existenz* von unabhängigen Gewerkschaften überhaupt als grundgesetzwidrig zu erklären. Die westdeutschen Gewerkschaften sind Teil der bestehenden Gesellschafts- und Wirtschaftsordnung und gleichzeitig der organisierte Widerspruch zu ihr, insofern, als allein ihre Existenz auf den fortbestehenden Widerspruch zwischen Arbeitnehmerinteressen und gesellschaftlichem Status quo verweist. Das erklärt die 25jährigen Versuche, sie zu integrieren und zu entmachten.

Der beschriebene Versuch einer einengenden Grundgesetzinterpretation, die den gesellschaftlichen Status quo mit den verfassungsrechtlichen Normen identifiziert, hat auch sprachliche Konsequenzen, die einmal untersucht werden sollten. An die Stelle des „demokratischen und sozialen Rechtsstaates“ ist die „freiheitlich demokratische Grundordnung“ getreten. Dabei liegt bei vielen, die diesen Begriff verwenden, die Betonung eindeutig auf „Ordnung“. Das für historische Fortentwicklungen offene Grundgesetz wird auf eine Art politischer Straßenverkehrsordnung reduziert. Die Begriffe „Freiheit“ und „Demokratie“ werden ihres Inhalts beraubt und auf das bürokratische Kürzel FDGO verkürzt. Die grundgesetzliche Aufforderung, für „mehr Demokratie“ zu kämpfen, wird von vielen in ein obrigkeitsstaatliches Ordnungssystem uminterpretiert, dessen Schutz Leuten wie Herrn Schrübbers durchaus anvertraut werden kann. Wie wenig Schrübbers ein Einzelfall war, zeigt das Verfassungsschutzgutachten über die Hamburger Lehrerin Ilse Jakob. In einem Brief an den Hamburger Bürgermeister Peter Schulz hat Erich Frister als GEW-Vorsitzender die Frage gestellt, ob im Hamburger Landesamt für Verfassungsschutz „Gesinnung und Praxis der Staatsschutzorgane aus der Zeit von 1933 bis 1945 nach wie vor lebendig sind.“

Im Rahmen dieser einengenden Verfassungsinterpretation erhält der Beschluß der Ministerpräsidenten vom 28. Januar 1972 über die „Grundsätze zur Frage der verfassungsfeindlichen Kräfte im öffentlichen Dienst“ eine besondere Bedeutung. Nicht der Wortlaut des Beschlusses, sondern der politische Zusammenhang, in dem er gefaßt wurde, machen seine Problematik deutlich. Auch der Deutsche Gewerkschaftsbund und die Gewerkschaft Erziehung und Wissenschaft verlangen, daß jeder, der als Lehrer, als Verwaltungsbeamter oder als Richter im öffentlichen Dienst tätig ist, die Grundsätze der Demokratie und des Rechtsstaates zu wahren hat. Wer eine Ein-Parteien-Diktatur anstrebt oder einen Führer-Staat errichten will, wer glaubt, den Fortschritt in unserer Gesellschaft „erbomben“ zu müssen oder das Recht der Arbeitnehmer auf kollektive Vertretung ihrer Interessen in unabhängigen Gewerkschaften beschneiden will, muß mit der Gegnerschaft der gewerkschaftlich organisierten Arbeitnehmer rechnen und hat im öffentlichen Dienst nichts zu suchen. Wer — wie möglicherweise die hessische Landesregierung — den Ministerpräsidentenbeschluß nur als Erinnerung an diese, vom Grundgesetz und den bestehenden Beamtengesetzen gedeckten Grundsätze betrachtet, kann sich der Unterstützung der Gewerkschaften auch dann sicher sein, wenn gegnerische politische Kräfte über die uneinheitliche Anwendung dieses Beschlusses wehklagen. Unverzichtbar ist aber für die Gewerkschaften, daß auch in diesen Fällen die Gründe, die gegen die Beschäftigung im öffentlichen Dienst sprechen, durch ein an rechtsstaatlichen Normen orientiertes Verfahren festgestellt werden. Die bloße Orientierung an den Personalakten des Verfassungsschutzes genügt diesen Normen nicht. In den letzten Monaten ist diese Haltung der Gewerkschaften manchmal als formaler Legalismus gescholten worden. Diese Kritik geht an der Haltung der Gewerkschaften vorbei. Auch der DGB kennt die Rolle, die etwa das Reichsgericht in der Weimarer Republik bei der Zerstörung der ersten deutschen Demokratie gespielt hat. Auch das später vom Bundesverfassungsgericht korrigierte Verhalten des Bundesgerichtshofes in politischen Prozessen der fünfziger und sechziger Jahre zeigt, daß blindes Vertrauen in die Rechtsprechung nicht am Platze ist.

Aber das Prinzip einer unabhängigen Rechtsprechung ist für die Gewerkschaften nach den Erfahrungen mit der Zerstörung jeglicher Rechtsstaatlichkeit im Dritten Reich unverzichtbar. Entwicklungen wie in der Weimarer Republik kann nicht dadurch begegnet werden, daß das Prinzip unabhängiger Rechtsprechung überhaupt aufgegeben wird, sondern nur mit dem politischen Kampf für eine an den Normen der Verfassung orientierte Gerichtsbarkeit.

Die Praxis der letzten Monate zeigt allerdings, daß es vielen Verfechtern des Ministerpräsidentenbeschlusses nicht darum geht, die Angehörigen des öffentlichen Dienstes daran zu erinnern, daß sie die Normen des Grundgesetzes wahren müssen. Es geht ganz offensichtlich auch nicht um die Abwehr sogenannter Radikaler von links und rechts. Selbst wenn man die Unmöglichkeit dieser bei uns üblichen Gleichsetzung von links und rechts außer Betracht läßt, wird offensichtlich, daß auf dem Höhepunkt der Wahlerfolge der NPD in keinem einzigen Bundesland an einen derartigen Beschluß gedacht wurde. Die „Demokratische Aktion" hat erst vor kurzem eine Dokumentation mit 62 Namen von im öffentlichen Dienst tätigen und der NPD angehörenden Lehrern veröffentlicht. Kein Kultusministerium kann sich auf angebliche Unkenntnis berufen, da ein großer Teil dieser Lehrer in den Wahlen der vergangenen Jahre öffentlich für die NPD kandidiert hat. Während die Zahl von 62 nationaldemokratischen Lehrern für offensichtlich irrelevant gehalten wird, wird um die angeblich 84 der DKP angehörenden Lehrer eine öffentliche Agitation betrieben, als wenn der Einmarsch der Roten Armee oder ein kommunistischer Staatsstreich vor der Tür stehe. In Wirklichkeit geht es nur darum, politische Vorstellungen, die eine *sozialistische* Veränderung unserer Gesellschaft anstreben, aus den Schulen zu verbannen. Dies beweist die große Zahl von Maßregelungen auch von nicht der DKP angehörenden Lehrern aus politischen Gründen. Verwiesen sei nur auf die drei Kollegen, die an der Gesamtschule Fröndenberg die Unterrichtseinheit „Arbeit" durchgeführt haben.

Nun muß klargestellt werden: Die westdeutschen Gewerkschaften sind keine sozialistischen Organisationen. Dies kann auch niemand annehmen, der die Zahl der gewerkschaftlich organisierten Arbeitnehmer mit der immer noch verschwindend kleinen Zahl von Sozialisten in der Bundesrepublik vergleicht. Die Gewerkschaften wehren sich aber entschieden dagegen, daß politische Vorstellungen, die vom Grundgesetz abgedeckt sind, aus der Schule verbannt werden sollen. Dies tun sie nicht nur deshalb, weil sie als gute Demokraten auch abweichende Meinungen zu Wort kommen lassen wollten, sondern weil sie erkennen müssen, daß ihre eigene Position bedroht ist, wenn sie sich nicht gegen die Tabuisierung bestimmter politischer Forderungen zu Wehr setzen. Die politische Diskussion in der Bundesrepublik ist zur Zeit durch eine merkwürdige Identifikationskette gekennzeichnet. Die Gewerkschaften werden mit der Sozialdemokratie identifiziert, die Sozialdemokraten mit den Jusos, die Jusos mit den Linksradikalen, gleich, wen man darunter verstehen will, und die Linksradikalen mit Andreas Baader und Ulrike Meinhof. Wenn diese Identifikationskette in den Köpfen erst einmal verankert ist, kann man dann auch den Anfang und das Ende dieser Kette — die Gewerkschaften mit Andreas Baader — gleichsetzen. Die andere Seite dieser Medaille ist ein öffentlich ausgeübter Distanzierungsdruck. Unternehmerschaft, parlamentarische Rechte und Springer-Presse stimmen in der Forderung überein, daß die Gewerkschaften sich von der SPD absetzen sollen, diese sich von den Jusos oder vom SHB distanzieren soll und die Zuletztgenannten von den Kommunisten oder linksradikalen Gruppen. Im Hintergrund dieser Forderung steht die Einsicht, daß sowohl das Grundsatzprogramm des DGB als auch das Godesberger Programm der Sozialdemokratie bei konsequenter Verwirklichung immer noch ein für die derzeitigen Inhaber gesellschaftlicher Machtpositionen gefährliches Programm zur Veränderung des Status quo darstellen. Indem man gesellschaftliche Reformkräfte mit den jeweils links von ihnen angesiedelten politischen Gruppen öffentlich identifiziert, will man sie gesellschaftlich ächten und politisch wirkungslos machen bzw. durch ständigen Druck auf Distanzierung von auch nur ein wenig radikaleren Forderungen zum Verzicht auf ihre Reformvorstellungen zwingen. Dieser Mechanismus wird den vor uns liegenden Bundestagswahlkampf beherrschen. Die Gewerkschaften können sich von dieser Identifizierungskette nicht beirren lassen. Sie müssen, wenn sie sich nicht selber in ihren politischen Wirkungsmöglichkeiten beschneiden lassen wollen, sich für die politische Betätigungsfreiheit aller sich im Rahmen der grundgesetzlichen Normen bewegenden politischen Kräfte einsetzen.

Das bedeutet, daß sie sich auch gegen eine andere, den Ministerpräsidentenbeschluß flankierende Verfassungsaushöhlung wehren müssen. In der öffentlichen Diskussion wird häufig darauf hingewiesen, daß zwar die Regierung die Verfassungsfeindlichkeit bestimmter Organisationen erkennen und feststellen könne, aber aus Gründen politischer Opportunität keinen Verbotsantrag beim Bundesverfassungsgericht zu stellen brauche. Demgegenüber muß eindeutig daran festgehalten werden, daß nicht nur das eventuelle Verbot einer politischen Partei dem Bundesverfassungsgericht obliegt, sondern daß auch für die Feststellung der Verfassungswidrigkeit nach dem Buchstaben des Gesetzes allein das Bundesverfassungsgericht zuständig ist. Wenn der staatliche Arbeitgeber Zweifel an der Verfassungstreue eines Beamten wegen seiner Zugehörigkeit zu einer bestimmten Organisation hat, aber keinen entsprechenden Feststellungsantrag beim Bundesverfassungsgericht stellen will oder — bei Vereinen — ein Urteil der Verwaltungsgerichte scheut, so kann sich aus der bloßen Zugehörigkeit zu dieser Organisation — das gilt *auch* für die NPD — kein die Nichteinstellung rechtfertigender Zweifel ergeben. Nur wenn aus dem Verhalten des Einzelnen eindeutig und nachweisbar deutlich wird, daß der Betreffende nicht bereit ist, die demokratischen Normen des Grundgesetzes zu wahren, ist ein Ablehnungsbescheid zu rechtfertigen, der gerichtlich nachprüfbar sein muß. Eine Landesregierung, die sich diesen Forderungen widersetzt, zeigt, daß es ihr offensichtlich in erster Linie um die Einschüchterung politisch Andersdenkender geht.

Die Gewerkschaften müssen sich dagegen wehren, daß — wie im wilhelminischen Deutschland — Schule und Universität, Justiz und Verwaltung zum Schutzwall für die bestehenden gesellschaftlichen Verhältnisse mißbraucht werden. Sie wehren sich erst recht gegen eine einengende Verfassungsinterpretation, die jeden Versuch einer gesellschaftlichen Veränderung unter das Verdikt der Grundgesetzwidrigkeit stellt. Die sozialdemokratisch geführten Landesregierungen sollten sich fragen, ob sie bei einer derartigen, letzten Endes auch ihre eigenen Wirkungsmöglichkeiten beschneidenden Maßnahme Hilfestellung leisten können. Das Grundgesetz darf nicht zu einer Straßenverkehrsordnung uminterpretiert werden, bei der das Überfahren der durchgezogenen Mittellinie verboten ist.

Margherita v. Brentano
Wissenschaft, Beruf, Öffentlicher Dienst
oder Wem dient die Wissenschaft?

Wer auf einem Kongreß unter den Programmreden die letzte zu halten hat, ist in einer bestimmten Schwierigkeit. Er muß ja, wenn er seinen Text plant, davon ausgehen, daß alles, was an Wichtigem, Richtigem und im gegebenen Rahmen Zulässigem zu sagen ist, von den Vorrednern bereits gesagt worden ist. Sollte Wichtiges und Richtiges noch übrig sein, — so kann er sich ausrechnen — dann allenfalls, weil es nicht zulässig ist.
So kommt, wem diese Rolle zufällt — und mir fällt sie ganz zufällig gelegentlich zu —, fast zwangsläufig in die Lage, über den gegebenen Rahmen und das in ihm Zulässige nachzudenken. Ist schon Denken, hierzulande jedenfalls, eine radikale Tätigkeit, so ist Nachdenken über das Zulässige höchst unzulässig und vermutlich schon linksradikal im Sinne der „Grundsätze für den Öffentlichen Dienst".
Womit wir beim Thema sind.
Jedenfalls bei der Sache, die den Bund Demokratischer Wissenschaftler aus seinem Schlafe geweckt hat, die seinen Mitgliedern, Freunden und, wie man hier sieht, vielen Anderen die Dringlichkeit eines organisatorischen Zusammenschlusses vor Augen geführt hat, die schließlich diesen Kongreß initiiert hat. Die also auch, so sollte man denken, beherrschendes Thema dieses Kongresses ist.
Diese Sache sind die im Januar beschlossenen „Grundsätze zur Frage verfassungsfeindlicher Kräfte im Öffentlichen Dienst" der Ministerpräsidenten mitsamt der sie erläuternden „Gemeinsamen Erklärung", die deswegen „gemeinsam" heißt, weil leider der Bundeskanzler sich ihr angeschlossen hat.
Man sollte, wie gesagt, denken, daß dies beherrschendes Thema des Kongresses ist. In der Tat, man denkt da richtig. Diese Sache beherrschte vorweg den Kongreß, beherrschte seine Vorbereitung von Anfang an, wenn auch leider nicht in der Weise einer ‚Einigkeit der Vernunft', an die Herr Frister soeben appelliert hat, vielmehr auf andere Weise.

Die gemeinte Herrschaftsweise will ich zunächst an einem anderen Beispiel, sozusagen durch Verfremdung, deutlich zu machen versuchen.
Vor einiger Zeit veranstaltete die ARD eine Fernsehdiskussion zu dem Thema Ministerpräsidentenbeschlüsse. Merseburger moderierte, und rechts und links von ihm diskutierten Demokraten, keineswegs Verfassungsfeinde. Ich sah es mir zufällig an und gewann zunehmend den Eindruck: hier findet nicht eine Diskussion *über* die Beschlüsse statt, sondern eine, die unter ihnen, *unter ihrer Wirkung* nämlich, steht.
Das war zwar ganz deutlich, aber so, wie ein Vexierbild deutlich ist: Man sieht die Hintergrundfigur erst, wenn einem Unstimmigkeiten an den Vordergrundfiguren auffallen. So war es auch mit den Figuren des Gesprächs.
Zum Beispiel: Keiner sprach als Betroffener oder potentiell Betroffener. Einer nur merkte das und fragte, warum denn die Runde so frei von potentiell Betroffenen sei — und Betroffenheit breitete sich aus.
Zum Beispiel: Alle sprachen über die Beschlüsse gegen Verfassungsfeinde, — über das Gleiche also, aber nicht gleich. Denn indem die Pro-Seite wie Subjekte dieser Beschlüsse sprach und auftrat, erschienen die Kritiker, ganz unversehens und ganz gegen ihre Intention, wie Objekte. Nur einer fragte, wer denn „Verfassungsfeindlichkeit" im Sinne der Beschlüsse feststelle, und erhielt die bemerkenswerte Antwort „Na, wir". Sie kam, natürlich, von der Seite der „Subjekte".
Zum Beispiel: Alle sprachen von der „Freiheitlich-demokratischen Grundordnung", aber auch da war ein Unterschied. Es war, wie wenn Vermieter und Mieter über die Hausordnung sprechen, der eine redend von seinem Eigentum, der andere von einem Vertragstitel. Beide pochen auf dasselbe, aber Beton gibt andere Resonanz als Papier. Und wiederum nur einer fragte nach dem für Streitfälle zuständigen Gericht — aber der war kein Hausbewohner.
Dieser schon dreimal zitierte Eine war nämlich Alfred Grosser, und er ist Franzose. Man redete vom Sinn der Verfassung, er sprach vom Text, man redete von der Verpflichtung auf und

dem Kampf gegen die Grundordnung, er nannte deren Inhalt, die Rechtsstaatlichkeit, und konstatierte nüchtern, daß die Beschlüsse gegen sie verstoßen.

Alle natürlich hatten das Grundgesetz gelesen und wußten, was der Ausdruck freiheitlich-demokratische Grundordnung dort konkret bezeichnet, nämlich den Inbegriff der in Art. 1 und 20 genannten und allein als unabänderlich deklarierten Grundsätze, im wesentlichen den demokratischen, sozialen und rechtsstaatlichen Charakter der Bundesrepublik. Nur ihm aber merkte man auch an, daß er es wußte.

Und weil da einer frei und konkret redete, die Dinge beim Namen nannte, entschlüsselte sich das Vexierbild. Alle waren Betroffene, obwohl doch, wie gesagt, keine Verfassungsfeinde und nicht einmal Angehörige des Öffentlichen Dienstes.

Alle standen auf dem Boden des Grundgesetzes, traten dafür ein oder auf, die „FDGO-Treue" (um dies von Denninger in Vorschlag gebrachte Kürzel zu verwenden) leuchtete nur so, alle boten Gewähr dafür, daß sie dies jederzeit usw. tun würden, — und der Zuschauer kam aus den begründeten Zweifeln gar nicht mehr heraus.

Ich zitiere, wie Sie merken; aber die Veranstaltung war ein lebendes Zitat all der schönen Wendungen aus den Januarbeschlüssen bzw. aus dem Beamtenrecht, aus dem die Beschlüsse ja eine Blütenlese darstellen.

Man steht, man tritt — die Verfassung ist bei uns eine Sache der Füße, und deshalb spricht man wohl auch so gern von ihrem Boden oder ihr als Boden. Nur — mit den Füßen kann man nicht lesen. Worauf man steht, dazu kann man sich zwar „positiv bekennen" und dessen „Sinn" kann man beschwören. Aber man muß wohl, wie Grosser, sich auf einem anderen Boden bewegen, tunlichst einem, der eine bürgerliche Revolution hervorgebracht hat, um das Ding zur Hand und vor Augen nehmen zu können, wobei sich dann herausstellt, daß dies kein Grund, Boden oder Sinn ist, sondern ein Gesetzestext mit Artikeln und Paragraphen.

Wir sind keine Franzosen. Wir sind ganz und gar Betroffene — und ich rede natürlich nicht nur von jenen Januarbeschlüssen, sondern von der Disziplinierungswelle, deren Anfang sie nicht etwa darstellen, eher so etwas wie eine Erfolgsmeldung.

Nichts zeigt diese Situation so deutlich wie die Vorgeschichte dieses Kongresses. Es bleibt offenbar gar keine andere Wahl, als unter das Verdikt zu geraten oder, nolens volens, sich durch Mitmachen abzusichern. Denn wie ging es zu?

Die Ersteinladenden zu diesem Kongreß wußten noch, wovon sie redeten und was im Gange ist. Im Aufruf, den Sie erhalten und dem viele von Ihnen zugestimmt haben, stehen klare Sätze: „Was als Maßnahme gegen sogenannte Radikale ausgegeben wird, zielt tatsächlich auf alle, die unbequeme wissenschaftliche Positionen vertreten."

„Reformwillige, progressive Wissenschaftler werden in ihrer Laufbahn behindert, als Verfassungsfeinde diffamiert und mit Berufsverbot bedroht."

„Unter dem Schein der Verteidigung der ‚Freiheit der Wissenschaft' und der verfassungsmäßigen Ordnung werden in Wahrheit die Freiheit der Wissenschaft immer mehr eingeengt und die verfassungsmäßige Ordnung ausgehöhlt."

Die so redeten, warben um ein Bündnis mit demokratischen Organisationen. Sie warben im Ernst, nicht aus Taktik, und nicht um etwas Fremdes, sondern um etwas Gemeinsames, das in Gefahr ist. Wir wissen nämlich, daß in den Kämpfen, die im Gange sind, wie in den früheren, das demokratische Element gefährdeter ist als der Sozialismus. Diejenigen, die Sozialismus und Demokratie für unvereinbar erklären, lehren durch ihre Kampfstrategie das Gegenteil. Immer nämlich war die Preisgabe der demokratischen Prinzipien der erste Schritt in der Bekämpfung des Sozialismus (und die Umfunktionierung oder, wo das nicht gelang, Zerschlagung der demokratischen Organisationen der zweite). Nur weil der Kampf gegen den Sozialismus direkt, die Ausschaltung der demokratischen Prinzipien aber indirekt und mit Hilfe der Blindheit oder Angst der Demokraten vor sich geht, kann diese offenkundige Strategie immer wieder verschleiert und immer wieder angewandt werden.

Was geschah nun?

Der Aufruf, aus dem ich zitierte, wurde als „radikal“ bezeichnet, — nicht vom Bund Freiheit der Wissenschaft, sondern von solchen, die diesen Kongreß mitvorbereiteten. Es ist das alte Lied — wer die Funktion solcher Worte wie „radikal“, „Verfassungsfeindschaft“ aufdeckt, der zieht sie bereits auf sich.

Das Bündnisangebot wurde erst zögernd, halb, angenommen, dann abgelehnt, dann ganz entschieden übernommen, aber da war es plötzlich ein ganz anderes Bündnis. Plötzlich zeichnete sich ein Bündnis *gegen* die Initiatoren, jedenfalls gegen ihre Initiative ab und, natürlich, eines gegen Radikale. Hauptzweck des veränderten Bündnisses schien es zeitweilig, den Bund Demokratischer Wissenschaftler abzuschaffen. Am Kongreß sollte er sich zwar noch beteiligen, auch seine Mitgliederversammlung abhalten dürfen, aber unter der Bedingung, daß deren Ergebnis die Auflösung des BDW sein müsse.

Ein Hauptproblem der Vorbereitung dieses Kongresses schien zeitweise darin zu liegen, das Thema Januarbeschlüsse und Berufsverbot an den Rand des Kongresses, wenn nicht gar hinaus zu befördern. Jedenfalls geriet diese Thematik ins Rutschen. Sie rutschte vom Eröffnungsplenum in die Arbeitsgruppen. Nachdem sie mit Mühe wieder ins Plenum zurückplaciert worden war, rutschte sie dort wieder abwärts, bis sie schließlich als letztes Thema hängenblieb. Und wer dies Verfahren kritisch zur Sprache brachte, bekam zu hören: natürlich sei nicht das Thema gemeint, sondern die Referentin, denn die sei doch „linksradikal“. Was immer einer ist oder nicht ist — die Vokabel wurde genau im Sinne der Beschlüsse verwendet („Gewähr“ für die eigene Honorigkeit bietet man am besten dadurch, daß man andere als Betroffene indiziert), und genau gegen diejenigen, die darauf bestanden, die Beschlüsse thematisch zu machen.

Kurz: was in der Vorgeschichte dieses Kongresses sich abspielte, hätte um ein Haar aus ihm einen Erfüllungsgehilfen der Januarbeschlüsse gemacht. Das ist nicht gelungen. Aber es war ziemlich mühsam, dieser Tendenz entgegenzuwirken.

Sie werden nun vielleicht finden, daß ich, statt zum Thema Januarbeschlüsse und Berufsverbot zu reden, in Bildern und Metaphern und um die Sache herum rede.

Ja — aber das hat eine Menge mit der Sache zu tun. Sie selbst redet in Metaphern, und ihr Drumherum, die negative Aura von Angst und Verdächtigungen, die sie erzeugt, ist genau ihr Zweck.

Insofern diese Sache nämlich ein Text ist [1]), besteht er zu erheblichen Teilen aus Metaphern. Das fällt bloß deswegen nicht sofort auf, weil die metaphorisch gebrauchten Ausdrücke ganz gewöhnliche Worte sind, die aber, im Verbund mit anderen ebenfalls ganz gewöhnlichen Worten eine durchaus andere als ihre gewöhnliche Bedeutung gewinnen. Man merkt die Bedeutungsverschiebung erst, wenn man versucht, die Grundsätze, Vorschriften, Forderungen etc. „beim (gewöhnlichen) Wort zu nehmen". Das gilt zum Beispiel für ein so harmloses Wort wie „jederzeit" (der Beamte oder Bewerber, muß ‚jederzeit für die freiheitlich-demokratische Grundordnung im Sinne des Grundgesetzes eintreten'); das gilt für Worte wie „gesamt" oder „bekennen" (er wird verpflichtet, ‚sich durch sein gesamtes Verhalten zu der freiheitlich-demokratischen Grundordnung zu bekennen und für sie einzutreten').

Was auch immer einer sich unter ‚Eintreten für die FDGO' vorstellen mag, es müßte doch eine bestimmte, positive, von anderen Tätigkeiten unterscheidbare Aktivität sein, — dann aber kann sie nicht jederzeit stattfinden, wenn denn „jederzeit" seine gewöhnliche Bedeutung behalten soll.

Was auch immer man unter „bekennen" verstehen mag, so sollte es sich doch um ein bestimmtes und bestimmbares Verhalten handeln. Dann aber kann es nicht mit dem „gesamten" Verhalten im üblichen Sinne des Wortes zusammenfallen. Ich jedenfalls assoziiere mit dem üblicherweise als „bekennen" bezeichneten Verhalten Situationen wie die Beamtenvereidigung oder die Anhörung vor dem Disziplinaruntersuchungsführer. Wie man sich auch im Schlafe zur FDGO bekennen kann, weiß ich nicht recht. Der Schlüssel für diese Schwierigkeit ist eben, daß die ganz gewöhnlichen Worte im Verbund, den sie hier bilden, für ganz anderes als ihren Wortsinn stehen. Sie stehen für so etwas wie eine unendliche Aufgabe. Sie indizieren, daß die geforderten Verhaltensweisen nicht bestimmbar sind, jedenfalls nicht positiv, allenfalls negativ, so daß es ganz unmöglich ist, für ihre Erfüllung „Gewähr zu bieten“, dagegen durchaus und immer möglich ist, daß einer „begründete Zweifel“ daran äußert.

Die Juristen, die sich mit den Beschlüssen kritisch auseinandergesetzt haben [2]), umschreiben diese Schwierigkeit dadurch, daß sie von „unbestimmten Rechtsbegriffen“ oder „uferlosem“ Gebrauch von Rechtsbegriffen reden. Ich fürchte, daß der Versuch, hier überhaupt Rechtsbegriffe im Sinne dessen, was seit der bürgerlichen Ausklärung Recht heißt, zu finden, fehlschlagen muß. Die Diktion dieser Grundsätze ist die des Katechismus und des Andachtsbuches. Ihr Paradigma sind Sätze vom Typus: ‚Du sollst jederzeit, in deinem gesamten Tun und Lassen, Gott loben’. Vorschriften des Katechismus haben es aber an sich, daß sie, jedermann in seinem gesamten Verhalten aufs Heil verpflichtend, eben dadurch auch jedermann zum möglichen Sünder machen. Vor solchen Forderungen sind wir immer simul iustus et peccator. Gewähr gibt es da nicht, und begründete Zweifel sind immer möglich. Eben das ist übrigens ihr Zweck.

Das gilt auch für den politischen Katechismus, der uns in Maßnahmen, Sprachregelungen und nun auch Beschlüssen seit zwei Jahren wieder einmal eingebläut wird. Aus seiner Wirkung erschließt sich der Zweck, und vom Zweck her entschlüsselt sich erst die Metaphorik des Textes.

Um Wirkung, Zweck und Wortlaut der Ministerpräsidentenbeschlüsse zu prüfen, ist es nützlich, drei Fragen zu stellen:

1. Auf welchen Bereich beziehen sie sich?
2. Gegen wen wenden sie sich?
3. Wie interpretieren sie sich selbst?

1. Die Beschlüsse sprechen ganz allgemein vom öffentlichen Dienst, und von Beamten, Angestellten, Arbeitern im öffentlichen Dienst, bzw. Bewerbern für den öffentlichen Dienst. Wie Sie dem „Spiegel“ entnehmen konnten, haben das einige Behördenchefs in Nordrhein-Westfalen wörtlich genommen, also durchaus mißverstanden: Sie erörterten das Problem, ob nun für die Einstellung jeder Raumpflegerin ein Persilschein des Verfassungsschutzamtes eingeholt werden müsse. Herr Kühn hat sich

über solche Naivität verwundert. In der Tat zeigen sowohl die Maßnahmen im Sinne der Beschlüsse wie auch die Wirkung, die sie haben, daß der gemeinte Bereich einerseits enger, andererseits weiter ist. Entlassungen und Einstellungsverweigerungen erfolgten keineswegs im gesamten öffentlichen Dienst, sondern in bestimmten Bereichen: Schule, Universität, Justizbereich. Zugleich aber erfolgten Entlassungen in Bereichen, die nicht zum öffentlichen Dienst gehören: im publizistischen Bereich zum Beispiel. Auch die Wirkung der Beschlüsse, also Unruhe, Angst, Einschüchterung und Selbstzensur ist in den genannten Bereichen, nicht aber bei Polizei oder Bundespost zu konstatieren.

2. Die Beschlüsse wenden sich gegen Verfassungsfeinde. Ihre Verteidiger pflegen diesen Begriff mit dem des „Extremen" oder „Radikalen" zu erläutern und versäumen nicht, darauf hinzuweisen, daß gleichermaßen Rechts- und Linksextreme, Rechts- und Linksradikale gemeint seien. Daran, daß im Ernst gegen den Rechtsextremismus vorgegangen werden soll, glauben wohl weder die Autoren der Beschlüsse noch sonst jemand. Erstens gibt es keinen Rechtsextremismus in diesem Lande [3]), und zweitens erinnere ich an die Folgen des Art. 131 GG.

Ein rechter Staatsdiener hierzulande steht immer in der Mitte, ihm gegenüber wird die Treue- und Fürsorgepflicht des Staates ernst genommen. Wer hingegen links von der Mitte steht, dem wird der Beweis seiner Treue gegenüber dem Staat ständig abverlangt.

Es ist auch, soweit ich sehe, rechts von der Mitte keinerlei Unruhe oder Einschüchterungseffekt feststellbar, ganz im Gegenteil. Die Beschlüsse wenden sich gegen Linksradikale, darüber scheint Einigkeit zu herrschen. Die Frage ist nur, welche Gruppen oder Personen mit dieser Bezeichnung gemeint sind. Auf Gruppen wie diejenige, die sich selbst RAF nennt, von anderen als Bande bezeichnet wird, wäre der Ausdruck „linksradikal" seinem historischen und sachlichen Sinne nach vielleicht anwendbar — sie können aber kaum gemeint sein, wenn sie auch als Vorwand für die Disziplinierungswelle dienen; denn niemand kann annehmen, daß Mitglieder solcher Gruppen sich um Aufnahme in den öffentlichen Dienst bewerben werden. Ist die DKP gemeint? Vermutlich ja, — aber erstens ist die DKP eine legale Partei, wie auch der Bundeskanzler bestätigt hat. Zweitens ist die DKP zweifellos nicht linksradikal in einem politisch und wissenschaftlich präzisierbaren Sinne des Wortes, — sie ist es nur dann, wenn man der schwachsinnigen, aber höchst herrschaftswirksamen Terminologie folgt, die alles, was links von der nicht weiter definierten „Mitte“ steht, als linksradikal bezeichnet. Drittens wären die Beschlüsse kaum nötig gewesen, wenn es sich lediglich darum handeln sollte, Kommunisten aus dem öffentlichen Dienst herauszuhalten; das funktionierte auch bisher ohne nennenswerte Schwierigkeiten.

3. Die Beschlüsse vom Januar stellen sich selbst als bloße Wiederholung und Zusammenfassung gültigen Beamtenrechtes dar. Das ist, von einer noch zu erläuternden Ausnahme abgesehen, zutreffend. Der Zweifel an der Vereinbarkeit dieser Beschlüsse mit dem Grundgesetz, zumindest mit dem fundamentalen Prinzip der Rechtsstaatlichkeit, den die bereits erwähnten juristischen Stellungnahmen mehr oder weniger direkt anmelden, schlägt zurück auf die Beamtengesetze. Die Weichen sind jedoch im Grundgesetz selbst schon gestellt. Mit dem ominösen letzten Satz des Artikels 33 („Das Recht des öffentlichen Dienstes ist unter Berücksichtigung der hergebrachten Grundsätze des Berufsbeamtentums zu regeln“) hat das Grundgesetz sich selbst für den Bereich des öffentlichen Dienstes außer Kraft gesetzt.

Die Übereinstimmung der Januarbeschlüsse mit bisherigem Beamtenrecht geht weiter, als es die Autoren wohl wahrhaben möchten. Ich habe es mir und Ihnen erspart, das „Gesetz zur Wiederherstellung des Berufsbeamtentums“ vom April 1933 mit der in den Beschlüssen gegebenen Blütenlese aus dem heutigen Beamtenrecht zu vergleichen. Die Übereinstimmung ist stellenweise wörtlich, nur daß damals die Formel „nationaler Staat“ die Stelle einnahm, die heute durch die Formel „freiheitlich-demokratische Grundordnung“ gefüllt wird. Schlimmer noch als die Ähnlichkeit der Texte ist die Ähnlichkeit der Wirkung und Reaktion. Auch damals beruhigten sich die Mitgemeinten damit, daß sie sich und anderen einredeten: „Die Gleichheit vor dem Gesetz werde nur den Kommunisten nicht zugestanden werden" — so Prälat Kaas in seinem Bericht vor der Zentrumsfraktion über sein Gespräch mit Hitler[4]). Man irrte: Die betroffenen Kommunisten machten etwa 1 % der entlassenen Beamten aus. Die Fragen nach Adressaten, Motivation und Funktion der Disziplinierungsmaßnahmen, mit denen wir es zu tun haben, lassen sich kurz und klar beantworten.

Adressaten sind alle, die in den Bereichen der Wissenschaft, Ausbildung, Sozialisation und Kommunikation arbeiten. Sie alle sollen auf ihre Funktion als öffentliche Bedienstete verpflichtet werden, — eine Funktion, die die beruflich Arbeitenden in diesen Bereichen zwar auch ausüben, aber nur sekundär, kontingent, weil nämlich ein staatliches Monopol in diesen Bereichen besteht.

Die Beschlüsse reduzieren praktisch die Tätigkeit in Wissenschaft, Ausbildung, Sozialisation auf diese sekundäre Funktion, nehmen sie in totalen Dienst für eine formelhaft beschworene „Ordnung", die nicht mehr positiv bestimmt wird durch ihre Angemessenheit an Recht und Verfassung, sondern negativ definiert wird durch den „Feind".

Das Wort Verfassungsfeindschaft ist das einzige Novum in den Texten, der einzige Punkt, in dem sie selbst die „hergebrachten" Grundsätze deutschen Berufsbeamtentums übertreffen. Dies Wort steht, soweit mir bekannt, in keinem Gesetzestext.

Wem fällt da nicht Carl Schmitt ein? Der politische Katechismus, der uns, leider mit dem Segen des Bundeskanzlers versehen, eingebläut werden soll, hat doch wohl mit Politischer Theologie, und diese mit dem ‚Ausnahmezustand' zu tun.

Die bisherige, bis gestern noch gegen die Linken mit Vehemenz verteidigte Ideologie von der zweck- und interessefreien Wissenschaft und Forschung, Kultur und Bildung scheint mit einem Schlage abgeschafft — die Thesen der Linken scheinen mit einem Male Gemeingut.

Des Rätsels Lösung ist leicht.

Die Funktion, die bisher die Mehrheit der Intelligenz von der Universität bis zum Kindergarten erfüllt hat, ist gefährdet. Diese Funktion war: Einübung von Anpassung, Fungibilität und Rationalität in genau dem Maße, in dem sie systemnotwendig sind, Verhinderung von Vernunftgebrauch und Handlungsfähigkeit, die darüber hinausgehen könnten; sie war außerdem: Selektion, Verteilung der Auszubildenden in die Gruppen der Handlanger, der „Kopflanger“ und der Führungseliten und Herstellung des richtigen Bewußtseins für die jeweilige Gruppe. Auf der höchsten Etage, der Ausbilder-Ausbildung, war sie zugleich Produktion der Legitimationstheorien für all dies.

Diese Funktion der Intelligenz stand nicht im Widerspruch zur Zweckfreiheitsideologie, im Gegenteil, sie bedurfte ihrer, um sich möglichst naturwüchsig vollziehen zu können.

Die Funktion der Intelligenz in den Bereichen, um die es geht, ist gefährdet, weil es mit der Naturwüchsigkeit vorbei ist. Einige nicht nur, sondern mehrere, viele, von denen man fürchtet, daß sie die Mehrheit werden könnten, haben die Frage „Wem dient die Wissenschaft?“ begriffen. Sie begnügen sich nicht mit formelhaften Antworten, zum Beispiel, daß sie der Wahrheit, dem Menschen oder, eben, der freiheitlich-demokratischen Ordnung dienen soll. Sie fragen weiter, wem denn die Ordnung dient, und was für eine Ordnung gemeint sei. Sie begnügen sich auch nicht mit der richtigen, aber abstrakten Antwort, daß Wissenschaft und Ordnung der Mehrheit und nicht nur wenigen dienen soll, sondern sie versuchen, diese Antwort in konkrete Arbeit, und zwar in ihrem Beruf, umzusetzen.

Dieser Prozeß wird offenbar als Gefahr empfunden. Gefährdet sind jedoch weder Freiheit, noch Demokratie, noch das Grundgesetz, sondern, wenn eine Ordnung, dann eine solche, die das Grundgesetz weder nennt, geschweige denn schützt.

Zweck der Beschlüsse ist es, diesen Prozeß zu blockieren. Das Berufsverbot für einige soll viele einschüchtern. Ihr Mittel ist die Erzeugung von Angst und Unsicherheit. Die Erzeugung von Angst zielt immer auf den isolierten Einzelnen

Wissend, daß jeder Demokrat zum Betroffenen werden kann, ist unsere Antwort der Zusammenschluß. Nur er kann der Angst begegnen.

1 *Wortlaut der Grundsätze zur Frage der verfassungsfeindlichen Kräfte im öffentlichen Dienst* vom 28. Januar 1972.

„Nach den Beamtengesetzen in Bund und Ländern
darf in das Beamtenverhältnis nur berufen werden, wer die Gewähr dafür bietet, daß er jederzeit für die freiheitlich-demokratische Grundordnung im Sinne des Grundgesetzes eintritt,
sind Beamte verpflichtet, sich aktiv innerhalb und außerhalb des Dienstes für die Erhaltung dieser Grundordnung einzusetzen. Es handelt sich hierbei um zwingende Vorschriften.

Jeder Einzelfall muß für sich geprüft und entschieden werden.

Von folgenden Grundsätzen ist dabei auszugehen:

Bewerber: Ein Bewerber, der verfassungsfeindliche Aktivitäten entwickelt, wird nicht in den öffentlichen Dienst eingestellt. Gehört ein Bewerber einer Organisation an, die verfassungsfeindliche Ziele verfolgt, so begründet diese Mitgliedschaft Zweifel daran, ob er jederzeit für die freiheitlich-demokratische Grundordnung eintreten wird. Diese Zweifel rechtfertigen in der Regel eine Ablehnung des Anstellungsantrages.

Beamter: Erfüllt ein Beamter durch Handlungen oder wegen seiner Mitgliedschaft in einer Organisation verfassungsfeindlicher Zielsetzung die Anforderungen des Paragraphen 35 Beamtenrechtsrahmengesetzes nicht, aufgrund derer er verpflichtet ist, sich durch sein gesamtes Verhalten zu der freiheitlichen demokratischen Grundordnung im Sinne des Grundgesetzes zu bekennen und für deren Erhaltung einzutreten, so hat der Dienstherr aufgrund des jeweils ermittelten Sachverhaltes die gebotenen Konsequenzen zu ziehen und insbesondere zu prüfen, ob die Entfernung des Beamten aus dem Dienst anzustreben ist.

Für Arbeiter und Angestellte im öffentlichen Dienst gelten entsprechend den jeweiligen tarifvertraglichen Bestimmungen dieselben Grundsätze.“

Wortlaut der gemeinsamen Erklärung des Bundeskanzlers und der Ministerpräsidenten vom 28. Januar 1972.

„Nach den Beamtengesetzen von Bund und Ländern und den für Arbeiter und Angestellte entsprechend geltenden Bestimmungen sind die Angehörigen des öffentlichen Dienstes verpflichtet, sich zur freiheitlich-demokratischen Grundordnung im Sinne des Grundgesetzes positiv zu bekennen und für deren Erhaltung einzutreten. Verfassungsfeindliche Bestrebungen stellen eine Verletzung dieser Verpflichtung dar.

Die Mitgliedschaft von Angehörigen des öffentlichen Dienstes in Parteien oder Organisationen, die die verfassungsmäßige Ordnung bekämpfen – wie auch die sonstige Förderung solcher Parteien und Organisationen –, wird daher in aller Regel zu einem Loyalitätskonflikt führen. Führt das zu einem Pflichtverstoß, so ist im Einzelfall zu entscheiden, welche Maßnahmen der Dienstherr ergreift.

Die Einstellung in den öffentlichen Dienst setzt nach den genannten Bestimmungen voraus, daß der Bewerber die Gewähr dafür bietet, daß er jederzeit für die freiheitlich-demokratische Grundordnung eintritt. Bestehen hieran begründete Zweifel, so rechtfertigen diese in der Regel eine Ablehnung.“

2 Zusammengestellt in: Wortlaut und Kritik der verfassungswidrigen Januarbeschlüsse. Materialien für Studenten, Beamte, Angestellte und Arbeiter im öffentlichen Dienst. Köln 1972

3 Diese Bemerkung erregte im Auditorium zunächst Befremden, dann erst zustimmende Heiterkeit. Sie bedarf also der Erläuterung. Ich sehe nicht, welche Positionen es hierzulande gibt, die, inhaltlich jedenfalls, weiter rechts stehen als die im Bayernkurier vertretenen. Der Bayernkurier aber ist Organ einer staatstragenden Partei. (Die NPD vertritt demgegenüber nicht extremere, sondern anachronistische Positionen, was etwas anderes ist.)

4 G. Jasper (Hrsg.), Von Weimar zu Hitler, Köln 1968, S. 414, zitiert nach „Wortlaut und Kritik . . .", S. 15.

III. Thesen für die Arbeitsgruppen

Thesen für die Arbeitsgruppe I

Peter Müller
Zur Hochschulgesetzgebung in den Bundesländern

1. Die bildungs- und wissenschaftspolitische Situation in der BRD ist gekennzeichnet durch den Übergang von einer Rationalisierungs- und Disziplinierungsphase (Schaffung eines am ökonomischen Bedarf orientierten Systems differenzierter Studiengänge, straffe Ordnung und Effektivierung des Studiums, intensive Erfassung und Kontrolle der Studierenden) zu einer Phase der zentralen staatlichen Programmierung (zentrale Hochschulplanung, zentrale Festlegung von Studiengängen, Lehrinhalten, Prüfungsordnungen). Ausdruck dieser Entwicklung sind der Entwurf zum Hochschulrahmengesetz (HRG) sowie die vorliegenden Gesetzentwürfe und Gesetze zur Reform des tertiären Ausbildungssektors auf Länderebene.

2. Die zur Globalsteuerung des Bildungssektors bereits geschaffenen oder in Entstehung befindlichen gesetzlichen Mittel sowie der zentrale Einfluß des Staates und — über ihn vermittelt — des Kapitals haben insbesondere folgende Ziele:

Vereinheitlichung der Verwaltung der Hochschulen; Abstimmung von Forschungsplanung und Nachwuchsentwicklung; Festlegung von Studieninhalten, die außerhalb der Hochschulen zentral entwickelt werden und primär auf die Verwertungszwecke industrieller und administrativer Arbeit bezogen sind; als Lernziele und Verhaltensdispositionen werden rasche Anpassung an Produktionsveränderungen durch technologische Innovation, Flexibilität durch Methodenbeherrschung, Mobilität, Fungibilität, Substituierbarkeit in den Vordergrund gestellt.

3. In den Hochschulen selbst vollzieht sich angesichts dieser Entwicklung eine zunehmende Polarisierung in und zwischen den an der Hochschule inkorporierten Gruppen, die auf die Gesetzgebung wiederum nicht ohne Einfluß bleibt. In diesem Zusammenhang stehen das technokratische und das demokratisch-emanzipatorische Interesse an einer Hochschul- und Studienreform partiell in einem Bündnis gegen die — noch immer an alten Privilegien fixierten — Interessen der Gruppe der Mehrheit der Hochschullehrer (Ordinarien), die allerdings in völliger Verkennung der o. g. Ziele staatlicher Aktivität, die Hochschule durch den Staat zu „befrieden" und damit wenigstens einen Teil ihrer Vorrechte zu retten versuchen. Das partielle Bündnis zwischen technokratischer und demokratisch-emanzipatorischer Reforminitiative findet jedoch an der Unvereinbarkeit der jeweils vertretenen Ziele seine Grenze. Die staatlich vermittelte Ausrichtung von Ausbildungszielen, -inhalten und -formen auf die Verwertungsinteressen des Kapitals läßt sich letztlich nicht mit einer Orientierung wissenschaftspolitischen Handelns an dem Interesse der Mehrheit der lohnabhängig Arbeitenden an sozialen und ökonomischen Veränderungen ihrer Lebenssituation und an einer Befreiung von naturgegebenen und sozialen Zwängen vermitteln.

4. Eine Bewertung der in der letzten Zeit erfolgten Gesetzesinitiativen auf Länderebene kann kaum global erfolgen, sie muß sich vom demokratisch-emanzipatorischen Standpunkt von vornherein auf die Frage beschränken, welche Gesetzesvorhaben und Gesetze am ehesten die Chance bieten, die Hochschulreform unter dem primären Gesichtspunkt ihrer Demokratisierung einzuleiten bzw. fortzuführen. Vor einem solchen Hintergrund bieten die Initiativen der CDU/CSU keinerlei positiven Ansatz. Sie stellen den Versuch dar, die o. g. rein technokratischen, extrem an Kapitalinteressen fixierten Ziele mit dem untaug-

lichen, weil selbst diesen Kapitalinteressen objektiv widersprechenden Mittel des Rückfalles in die — frühliberalen Verhältnissen vielleicht angemessene — Ordinarienuniversität in Verbindung mit einem extensiven Disziplinierungskatalog zu erreichen. An zentralen Problemen wie der Studienreform, der Mitbestimmungsfrage und der Personalstrukturreform ließe dieser Sachverhalt sich exemplifizieren. In den Initiativen der CDU/CSU-regierten Bundesländer sind die denkbar schlechtesten Lösungen des Problems Hochschulreform in reiner Form vertreten, flankiert werden diese legislativen Maßnahmen auf der Ebene der Kultusbürokratie durch Erlasse und Verordnungen, die geeignet sind, demokratische Entwicklungen rückgängig zu machen oder von vornherein auszuschließen (s. Erlaß zur Abschaffung des wiss. Ass. in Baden-Württemberg, die jüngsten Vorgänge um die Universität Konstanz, Regelung des Paritätenproblems in den CDU/CSU-Entwürfen und -gesetzen).

5. Die Vorlage von Hochschulgesetzentwürfen in Bayern und Schleswig-Holstein in letzter Zeit läßt einen konkreten Zusammenhang mit der vorerst gescheiterten Verabschiedung des Hochschulrahmengesetzes vermuten. Es ist kaum von der Hand zu weisen, daß durch diese von Prinzipien wie Mitbestimmung und demokratische Kontrolle aller am Wissenschaftsprozeß Beteiligten wenig getrübten Gesetzesvorlagen auf Bundesebene Fakten geschaffen werden sollen, die die SPD/FDP-Koalition unter entsprechendem Druck dahin bringen könnten, den Entwurf eines HRG noch weiter zu verwässern.

6. Im Gegensatz zu den Verhältnissen in CDU- bzw. CSU-regierten Ländern bieten die in den letzten Jahren von der SPD initiierten und durchgesetzten Hochschulgesetze vor allem in Berlin, Hessen, Hamburg und Bremen Ansätze zu einer demokratischen Reform der Hochschule bzw. stehen ihr doch nicht vollkommen entgegen. Allerdings ist in diesem Zusammenhang davon auszugehen, daß auch eine primär von der SPD getragene Regierung sich solange dem Druck des Kapitals, seine Verwertungs- und Profitinteressen möglichst unvermittelt im Hochschulbereich umzusetzen, nicht entziehen kann, als sie das Prinzip der

privaten Verfügungsgewalt über die gesellschaftlichen Produktionsmittel nicht in Frage zu stellen bereit ist. Vor diesem politischen Hintergrund ist die These von der untrennbaren Einheit technokratischer und demokratischer Reformvorstellungen im Hochschulbereich zu beurteilen.

7. Die bildungspolitischen Zielvorstellungen (s. auch die „Bildungspolitischen Informationen" des Hess. Kultusministeriums) und materiellen Inhalte der von der SPD geschaffenen gesetzlichen Rahmenbedingungen einer Hochschulreform lassen im Vergleich zu den entsprechenden Initiativen der CDU/CSU die These zu, daß die Gesetze ungeachtet des oben angedeuteten Widerspruchs partiell gute Lösungen der wichtigsten Probleme einer Hochschulreform möglich erscheinen lassen. Auch diese Feststellung läßt sich an den Problemen der Mitbestimmung, der Studienreform und der Personalstruktur exemplifizieren.

8. Diese relativ positive Beurteilung der Hochschulgesetze der SPD wird allerdings durch einen sich in letzter Zeit verschärfenden Widerspruch zwischen den durch die Gesetzestexte sich bietenden Möglichkeiten einer Demokratisierung der Hochschule sowie einer progressiven Lösung der Mitbestimmungs-, Studienreform- und Personalstrukturreformprobleme und der hochschulpolitischen Praxis der Kultusbürokratie wieder eingeschränkt. Wie das Beispiel Hessen (restriktive Praxis der Überleitung des bisherigen Mittelbaus in die neue Personalstruktur, Dezimierung des für eine Studienreform unerläßlichen Tutorenprogramms, Einleitung von Reformen, z. B. Gründung der Gesamthochschule Kassel, unter völlig unzureichenden materiellen, personellen und konzeptionellen Voraussetzungen u. a. m.) zeigt, droht eine solche als realpolitisch oder pragmatisch gerechtfertigte Praxis die positiven Anstöße der Gesetzgebung zu neutralisieren. Unter dem Druck der sich auch hochschulpolitisch niederschlagenden Rechtsentwicklung in letzter Zeit scheint die SPD ungern an ihre hochschulpolitischen Zielproklamationen von vor zwei, drei Jahren erinnert zu werden und ermuntert mit ihrem Taktieren die Theoretiker und Praktiker eines hochschulpolitischen rollback.

9. Das Stagnieren der für eine progressive Studienreform unabdingbaren Ansätze einer Curriculumrevision und die sich abzeichnende Unwahrscheinlichkeit, daß aus entsprechenden wissenschaftstheoretischen und hochschuldidaktischen Überlegungen materielle und personelle Konsequenzen gezogen werden, weisen auf ein weiteres Dilemma der Hochschulpolitik auch in SPD-regierten Ländern hin. Alternativen einer Studienreform und ihre notwendigen Folgekosten werden von den Planungsgremien ausschließlich nach den durch den hier und heute bestehenden Verteilungsmodus vorgegebenen finanziellen Möglichkeiten entwickelt, eine Redistribution der vorhandenen Ressourcen steht nicht zur Diskussion. Die neu anfallenden Aufgaben werden dementsprechend den ohnehin schon überlasteten Hochschulen aufgebürdet, ohne daß sie personell in die Lage versetzt würden, diesen Aufgaben gerecht zu werden. Vor dem Hintergrund solcher hochschulpolitischen Praxis muten von der SPD postulierte Ziele (z. B. reformierte Lehrerausbildung nach dem hessischen Modell) zynisch an; im Hinblick auf die oben angedeuteten immanenten Widersprüche sozialdemokratischer Hochschulpolitik sind diese Widersprüche zwischen proklamiertem Ziel und zur Zielerreichung verfügbaren Mitteln nur folgerichtig.

Thesen für die Arbeitsgruppe II

Herbert Claas
Zum „Bund Freiheit der Wissenschaft“ (BFW)

I. Das hochschulpolitische Kräfteverhältnis vor der Gründung des BFW war bestimmt
— erstens durch das Festklammern der die überkommene Universitätsstruktur tragenden Ordinarien an ihrem Status und den damit verbundenen sozialen Privilegien,
— zweitens durch den wachsenden Legitimationsdruck der Studentenbewegung und ihrer Verbündeten auf die Fortexistenz dieser inneruniversitären Struktur und darüber hinaus ihrer Ursachen in gesamtgesellschaftlichen Fehlentwicklungen,
— drittens durch den in der Hochschulgesetzgebung sich niederschlagenden Versuch des Staates (Länder, ab ’69 Bund), ordnend in den Konflikt einzugreifen und auf längere Frist eine Anpassung der Dienstleistungen der Hochschulen in Forschung und Lehre an spezifische gesellschaftliche Anforderungen zu gewährleisten.
Der Charakter dieser Anforderungen ist durch den Stand der sozialökonomischen Entwicklung der BRD nahegelegt. Für die Privatwirtschaft besteht die Schwierigkeit einer qualifizierten Ausbildung von Arbeitskräften, seit mit dem Ende der Rekonstruktionsperiode und der Wirtschaftskrise von 1966/67 deutlich wurde, daß die Entwicklung des gesamten Ausbildungssystems einschließlich der Hochschulen ohne die gezielte Anforderung produktionsunmittelbarer Funktionalisierung gewissermaßen „ungleichzeitig“ verlaufen war. Zwar gelang in der Anfangsphase ihrer Einwirkung eine Interessenidentität von Privatwirtschaft und Studentenbewegung, solange die Dysfunktionalität der feudalen Ordinarienuniversität angegangen wurde, doch schied die Studentenschaft als Träger der kapitalistischen Rationalisierung in dem Maße aus, wie sie sozialistisches Potential entwickelte. Spätestens an diesem Punkt deckten sich die zeitweilig disparaten Gegenstrategien von Hochschulreaktion und Privatwirtschaft wieder. Bis der Weg für ihre optimale

Kombination offenstand, mißglückten Versuche zur Organisation von beiden Seiten aus.
Die als „Marburger Manifest“ bekannt gewordene Erklärung „Zur Politisierung und sogenannten Demokratisierung der Hochschulen der Länder der Bundesrepublik Deutschland“ vom April 1968 stellt vom Typus her eine originäre Ordinarieninitiative dar und war wegen ihrer Schrulligkeit eher geeignet, die angesprochenen Interessenten außerhalb der Hochschulen zu kompromittieren.
Die Komplementärerscheinung zum „Marburger Manifest“ stellen die Aktivitäten der „Hochschulgesellschaft e. V. für die Erneuerung der deutschen Universität“, Heidelberg, in den Jahren 1968/69 dar, vom Typus her eine Art Börsenmachination zur Kontrolle der Hochschulen, wo sie der Verbindung mit einer geschlossenen Gruppe ermangelte und schon deshalb scheiterte.

II. Der BFW, am 17. 11. 70 gegründet, führt die Reputation der Professoren mit dem Leistungsbegriff der Manager zusammen. Im Februar 1972, nach der Umstellung der Mitgliederkartei auf elektronische Datenverarbeitung und einer „ersten Auswertung“ (HPI 3/72), ergab die „Strukturanalyse der weit über 3000 Mitglieder“: 37 % Professoren, 14 % Assistenzprofessoren, 9 % Studenten, 40 % sonstige außerhalb der Universität (DUZ 7/72, S. 300).
Die im BFW versammelten Professoren repräsentieren vier durch Entstehungsgeschichte und Interessenschwerpunkte unterschiedene Fraktionen, die im präventiven Programm eine gemeinsame Plattform gefunden haben.
Da sind einmal die Reaktionäre, die seinerzeit das Manifest unterzeichneten und auch fürderhin als gesichertes Potential des status quo in Hochschule und Gesellschaft angesehen werden können, weil sie die Welt nicht mehr verstehen. Sechs Namen von 21 unter dem Gründungsaufruf des BFW standen auch unter dem Manifest (Häuser, Ortlieb, Repgen, Sauermann, Schmitt, Tenbruck). Auf dem Kongreß am 18. 11. 70 mag diese Gruppe den größten Teil der Lämmerherde ausgemacht haben, die der Programmerklärung ohne jede Diskussion akklamierte.

Als nächster näher zu umschreibender Personenkreis fallen die Wirtschaftswissenschaftler ins Auge, die in dem Maße aktiv werden, wie ihre Wissenschaft als „eigentliche geistige Frontdisziplin“ (Werner Hofmann) der kapitalistischen Gesellschaftsordnung, als nackte Interessenwissenschaft scharfer Kritik ausgesetzt ist.

Naturwissenschaftler und Mediziner fehlen unter den bekannt gewordenen Namen vollständig. Erfahrungen an einzelnen Hochschulorten legen die Vermutung nahe, daß sie wohl eintraten, aber andere vorschicken, solange ihnen nicht der Boden unter den Füßen zu heiß wird.

Die eigentliche neue Qualität des BFW macht eine dritte Gruppe von Professoren aus, zugleich jüngste historische Schicht des BFW und weitgehend identisch mit einem „Frankfurter Kreis“, der die konzeptionelle Vorarbeit leistete. „Es mußten Leute sein, die in der Reformbewegung aktiv waren“ (Rüegg), „im Kern Schüler von Arnold Bergstraesser, die den Namen ihres Lehrers wie ein Adelsprädikat tragen: die Politikwissenschaftler Wilhelm Hennis, Hans Maier, Friedrich H. Tenbruck, Dieter Oberndörfer und einige ihrer Assistenten“ („Die Zeit“, 7. 8. 70).

Aus der Verbindung des praktischen Begriffs von Politikwissenschaft dieser Schule, der gleichwohl von jedem Ansatz zur Klassenanalyse gereinigt ist, mit einer beteuerten Reformbereitschaft seiner Repräsentanten resultierte die anfängliche Verwirrung über den sozialen Standort des BFW. Dieser theoretisch-praktische Kern wird aufs Vorteilhafteste ergänzt durch einen bekehrten Sozialisten (Richard Löwenthal), einen Sozialtechniker (Erwin K. Scheuch), einen Philosophen, der Staatssekretär war (Hermann Lübbe), und einen Faschismusforscher (Ernst Nolte), um zu belegen, daß „der alte Gegensatz zwischen ‚Konservativen‘ und ‚Reformern‘ in hochschulpolitischen Fragen überholt“ (Gründungsaufruf) sei.

Diese Sammlung von Professoren, die „weder rechts noch links“ (Maier) zu stehen vorgeben, beendet die Suche der Privatwirtschaft nach „unpolitischer“ Interessenabsicherung im Hochschulbereich. Welches Gewicht ihr unter den „Sonstigen“ im BFW zukommt, kann nach einem Blick auf den Beirat der HPI vermutet werden. Bankiers, Industrielle, Publizisten und Politiker koexistieren mit den Grenzgängern zwischen big business und big science.

III. Von den vier satzungsgemäßen Organen des BFW, Mitgliederversammlung, Bundesausschuß, Vorstand und Kuratorium, hat die MV ihre Schuldigkeit getan, wenn sie den Bundesauschuß (BA) gewählt und die jährliche Beitragshöhe (1970: DM 10,—) gebilligt hat. Entsprechend dieser bescheidenen Rolle hat sie bisher einmal stattgefunden, nämlich im kleinen Kreise zum Zwecke der Gründung am Vorabend des Gründungskongresses. Es läßt sich behaupten, daß die Mitglieder nicht Subjekte des Vereinslebens sind, sofern es um die Willensbildung der nationalen Dachorganisation geht.

Die Satzungsgeber verfuhren getreu dem Talleyrandschen Prinzip, daß eine Verfassung kurz und unklar zu sein habe. Die 12 §§ sind sorgfältig um die zentralen Kompetenzen eines Organs, des BA herumgebaut. „Der BA bestimmt die Richtlinien der Arbeit. Er wird von der MV auf zwei Jahre gewählt; Wiederwahl ist zulässig. Er besteht aus bis zu vierzig Mitgliedern. Freie Sitze können vom BA mit Mehrheit besetzt werden." (§ 5). Der BA wählt den Vorstand des BFW (§ 6). Der BA wählt das Kuratorium des BFW (§ 7). Der BA entscheidet über die Aufnahme von Mitgliedern (§ 2) und über deren Ausschluß im Falle eines Verstoßes gegen die Ziele (§ 8). In dieses omnipotente Gremium wurden bei der Gründung am 17. 11. 70 vorerst 22 Mitglieder gewählt, darunter Hennis, Richard Löwenthal, Lübbe, Maier, Nolte, Oberndörfer, Ortlieb, Rüegg, Sanmann, Tenbruck und Zöller. „Die noch freien Plätze sollen möglichst bald von neuen Mitgliedern des Bundes eingenommen werden." (HPI 4/70) — durch Kooptation, wie wir wissen. Anläßlich der ersten Sitzung des BA nach der Gründung am 19. 12. 70 in Frankfurt nennen die HPI den BA bereits „das allgemeinste Beschlußgremium des BFW" (HPI 6/70), nach der Sitzung vom 16. 5. 71 in Frankfurt nur noch schlicht „das höchste Beschlußgremium des BFW" (HPI 9/71).

Die Konstruktion des BA vermittelt in der politischen Praxis einen Eindruck davon, was die Unantastbarkeit des Rechts auf „Selbstergänzung der wissenschaftlichen Kollektive" (Löwenthal) bedeutet. „Dieser Kongreß (...) kann der Anfang einer neuen Phase der Entwicklung sein, in der sich die Wissenschaft als private Vereinigung konstituieren muß, um die Vorgänge in den Universitäten zu kontrollieren und der Öffentlichkeit zur Kenntnis zu bringen" (Nolte).

Die ersten drei vom BA gewählten Vorsitzenden waren Lübbe, Maier und Rüegg. Lübbe wurde unterdessen wegen seines Weggangs nach Zürich durch Richard Löwenthal und Maier wegen seines Amtsantritts als bayerischer Kultusminister durch seinen Adlatus Zöller ersetzt. Im Januar 1971 beauftragte der Vorstand eine Anzahl von Mitgliedern des BA, zur Verstärkung der „Detailarbeit" zehn besondere Sachgebiete zu bearbeiten (HPI 1/71).

Über das vierte in der BFW-Satzung vorgesehene Organ, das Kuratorium, war außer der lapidaren Satzungsbestimmung — „Das Kuratorium berät den Vorstand" (§ 7) — kein Sterbenswörtchen mehr zu vernehmen. In Rüeggs Vorstellung sollte es „die Verbindung zur Gesellschaft institutionalisieren" — zur Gesellschaft, wie sie ist.

Der Überblick der innerverbandlichen Strukturen ergibt: Die Entscheidungswege im BFW auf nationaler Ebene verlaufen als reine In-Sich-Geschäfte einer kleinen Führungsgruppe, die professorale Seite in der Schaltzentrale des „Kampfverbandes" ist ein Kollegialorgan.

Die Anweisungen des „Aktionsprogramms des BFW" vom 21. 2. 71 garantieren die Verfügungsgewalt der Verbandsspitze auch über die Gliederung des BFW auf lokaler Ebene (Individualmitgliedschaft; keine „organschaftliche" Struktur, die auf Ortsgruppen basieren würde; Sektionen als örtliche Vereinigungen bedürfen für ihre Satzungen oder Geschäftsordnungen der Bestätigung durch den Vorstand, der durch Beauftragte die Erfüllung der Aufgaben gewährleisten kann; Stellungnahmen zu überlokalen Angelegenheiten nur nach Absprache mit dem Vorstand).

International bestehen personelle Verflechtungen zum „International Committee on University Emergency — ICUE", das am 19. 11. 70 gleichzeitig in New York, London, Paris, Rom und Bonn ein Memorandum zur „Existenzkrise der Universität" herausgab.

IV. Seit Oktober 1970 erscheinen zweimal im Monat die Hochschulpolitischen Informationen (HPI), anfänglich im Umfang von 8, jetzt von 20 Seiten. „Die HPI gehen zweimal im Monat u. a. an alle Bundestags- und Landtagsabgeordnete und andere Personen, die für die Gegenwart und Zukunft unseres Bildungswesens entscheidend sind." (Eigenwerbung HPI). Die HPI werden derzeit „in Verbindung mit dem BFW unter eigener Verantwortung herausgegeben von der Markus-Verlags-GmbH" in Köln, einem Unternehmen, das sich um die Marktgängigkeit seiner Produkte seit je keine Sorge zu machen brauchte. Vorzugsweise mit militärischer und antikommunistischer Literatur befaßt, hatte es stets Periodika für Großabnehmer im Verlagsprogramm: seit 1951 die Bundesgrenzschutz-Zeitschrift „Parole", später die Bundeswehr-Zeitschrift „Visier" (30 000 Exemplare der Gesamtauflage von 40 000 gingen gegen einen Jahreszuschuß von 612 000 DM als „Dienstauflage" an die Bundeswehr), dann der vom Bundesinnenministerium finanzierte Informationsdienst „Innere Sicherheit", nunmehr in sinnvoller Ergänzung die HPI. Der Geschäftsführer des Markus-Verlags war der erste Finanzbeauftragte des BFW.
Der Inhalt der HPI zielt auf breiteste Außenwirkung des BFW, zumal die internen Mitteilungen für die Mitglieder seit Februar 1971 durch das monatlich erscheinende Mitteilungsblatt „Moderator" verbreitet werden (verantwortlich: Rüegg). Üblicherweise steht zu Beginn eines HPI-Heftes der Beitrag eines BFW-Prominenten, der von hoher Warte her einschätzt. Der nachgerade erschütternde Schwachsinn einiger dieser Besinnungsaufsätze läßt auf das Maß von Verleugnung der tatsächlichen Interessen schließen. (Beispiel HPI 1/71, Johann Philipp Freiherr von Bethmann: Die Universität geht uns alle an.) Daneben rücken Selbstdarstellungen des BFW in der Form öffentlicher Erklärungen, Stellungnahmen zu Gesetzentwürfen etc., Berichte über

Kontaktgespräche mit Parteien und Verbänden. Recht eigentlich in ihrem Element sind aber die HPI, wenn sie ihre Leser in die Abgründe der Vorgänge an den Reformhochschulen schauen lassen (vornehmlich Berlin, Bremen, Heidelberg, Marburg) oder Dossiers über linksradikale Aktivitäten unterbreiten. (Beispiel Bonn, HPI 22/71: „Der Rotzellist Weiland aus der Philosophischen Fakultät war auf den Konventsvorsitzenden zugestürzt und wollte ihn tatsächlich angreifen, um die Schlußabstimmung zu verhindern: Er mußte jedoch einen Teil des Abstimmungsvorganges im ‚Schwitzkasten' miterleben, in den Dr. Meyer ihn genommen hatte.")
Gleichfalls im Markus-Verlag erschienen sind bisher sechs Broschüren in der Reihe der „HPI-Schriften" mit Tagungsreferaten und weiteren umfangreicheren Äußerungen von BFW-Mitgliedern.

V. Gerade die wohlwollendsten Kommentare zur Gründung des BFW bedauerten, daß der Bund sich in der Abwehr bescheide. (FAZ: „Es muß also doch etwas ‚Konstruktives' und ‚Positives' die Negation des Unrechts und der Unfreiheit begleiten.") Tatsächlich überwogen im Gründungsaufruf und einer Programmerklärung die präventiven Absichten. Alle vorgeblich reformerischen Forderungen des Aufrufs tragen im Kern die Absicht der Restriktion (Selbstergänzung des Lehrkörpers durch ein zunft- oder innungsähnliches Verfahren, dagegen Einladung an „betroffene gesellschaftliche Gruppen" zur Mitwirkung bei der „Festsetzung der Anforderungen professioneller Qualifizierung").
Geht die Verteidigungsrichtung im Gründungsaufruf noch eindeutig gegen die Studentenbewegung, so erweitert die Programmerklärung das Verdikt auf deren vermeintliche Erfolge in neuen Hochschulgesetzen. Daß der BFW selber „keine Einzelvorschläge zur Reform und Struktur der Hochschule" mache, wird als weise Enthaltsamkeit von „parteipolitischen Streitfragen" ausgegeben. Der stumme Besitz der Macht äußert sich nur, wo er in Frage gestellt wird, und macht sich im übrigen über den „Meinungsverzehr" (Maier) der Hochschulreformer lustig.

Der Argumentationsrahmen reduziert sich, des wolkigen Obskurantismus, der sicher nicht nur Beiwerk ist, entkleidet, auf ein einfaches Bündnisangebot. Angesichts der Entwicklungen in den Hochschulen ersuchen die Professoren den Staat und die gesamte „Öffentlichkeit", sie in ihrem bisherigen Status gegenüber den Studenten zu stärken. Die Professoren bieten als Gegenleistung die stromlinienförmige Indienstnahme der Ausbildung und der Forschung für die Zwecke der herrschenden Kapitalinteressen. (Rüegg: „das neue Autonomieverständnis der Hochschule, das sich nicht gegen Staat und Gesellschaft, sondern nur in kritischer Partnerschaft mit Staat und Gesellschaft behaupten kann", „Moderator" 3,4/71).
Die Kritik gilt den „Fanatikern" und die Partnerschaft der erwerbswirtschaftlichen Vorteilssuche. Zusammen enthalten sie das Angebot eines Kompensationsgeschäftes an die Privatwirtschaft und deren Interessenvertretung in der staatlichen Wissenschaftsadministration. In der Hoffnung auf die weitere Privilegierung der Gelehrtenrepublik im Lehrkörper der Universitäten soll der Preis des von außen reglementierten Studiums gezahlt werden. Bei einzelnen Repräsentanten des BFW (z. B. Tenbruck) spukt nicht nur die Unterscheidung von Kurz- und Langstudiengängen, die inzwischen im Bildungsgesamtplan der BLK beschlossene Sache ist, sondern aufersteht die abgehobene Eliteuniversität gegenüber einer griffeklopfenden und exerzierenden Fachschule.
Im Gegensatz zum Ausbildungbereich, in dem ein offensives Konzept Wirtschaft und Wissenschaft vereint, deutet auf beider Komplizenschaft im Forschungsbereich, daß Stillschweigen von der Fortexistenz „externer Forschungslabors" (Kurt H. Biedenkopf) der Wirtschaft in den Hochschulen ablenkt und die ungebrochene Gültigkeit unternehmerischer Prinzipien in deren Verwaltung schützt.

VI. Das Verhältnis zum Mitbestimmungsproblem hält die verschiedenen Seiten der Programmatik des BFW zusammen und verleiht ihr Kenntlichkeit. Ernst Nolte erhebt zum „Gesetz": „Jede einzelne Institution in einer Demokratie, die sich autonom und unter Gefährdung ihrer gesellschaftlichen Funktion demokratisiert, handelt antidemokratisch", und Richard Löwenthal modifiziert, daß „funktionale Einrichtungen", die unter dem „Gesetz der Zweckmäßigkeit" stehen, „in ihrem inneren Aufbau nicht konsequent demokratisiert werden (können), ohne sich in gefährlicher Weise von der demokratischen Kontrolle durch die Gesamtgesellschaft zu emanzipieren, der sie dienen sollen." In der strikten Abwehr solcher Formen von Mit- und Selbstbestimmung werden das Repräsentationsmodell und der Amtsgedanke zum verpflichtenden und ewigen politischen Organisationsprinzip verklärt. Dahinter steht ein dezisionistisches Ordnungsdenken, eine neue naturrechtliche Konstruktion von der sachlich notwendigen Entscheidungsbefugnis nach der Vorgabe bestehender Status-Hierarchien.

Die immer wiederkehrende Argumentationsfigur von den Prinzipien der „Leistungsgesellschaft" hat eindeutig zur politischen Handlungsfolge, vorgegebene und von ihren historischen Entstehungsbedingungen abgelöste Herrschaftspositionen und Privilegien sozialer Gruppen als funktionale in Anspruch zu nehmen und damit disziplinierend konkurrierende, möglicherweise systemtranszendierende Bedürfnisse und Interessen abzuwehren.

Demokratisches Prinzip und Leistungsprinzip werden in diesem Sinne als konkurrierend ausgegeben. Wilhelm Hennis nannte vor dem Rhein-Ruhr-Club „Leistungsverfall" den „Tribut für die starke Demokratisierung", und Löwenthal hält beide Prinzipien für „vereinbar nur unter der Voraussetzung, daß man sich über den Anwendungsbereich eines jeden von ihnen klar ist". Demokratie kommt herunter zu einem Set formaler Spielregeln („Mehrheitsentscheidung"), gegen den funktionale Zweckmäßigkeit überlegen ausgespielt werden kann.

Thesen für die Arbeitsgruppe III

Gerhard Stuby und Roderich Wahsner
Abbau demokratischer Rechte, Diskriminierung von Demokraten, Berufsverbot

1. Ein schrittweiser Abbau demokratischer Rechte läßt sich als durchgängige Tendenz der politisch-gesellschaftlichen Entwicklung der BRD seit Inkrafttreten des Grundgesetzes nachweisen. Stationen dieser Entwicklung waren:

— die Remilitarisierung und die Wiedereinführung der Wehrpflicht entgegen dem Verbot des Art. 4 Abs. 3, jemanden zum Kriegsdienst mit der Waffe zu zwingen,

— die Uminterpretation des Art. 4 Abs. 3 und die fortschreitende Aushöhlung des Grundrechts auf Kriegsdienstverweigerung,

— das Verbot der KPD und die jahrelange strafgerichtliche und politische Verfolgung ihrer Mitglieder und der Mitglieder von angeblichen „Ersatz"- oder „Nachfolgeorganisationen",

— das Inkrafttreten der offen verfassungswidrigen „einfachen" Notstandsgesetze im Jahre 1965 und

— die als Notstandsverfassung bekanntgewordene, einen tiefgreifenden Verfassungswandel signalisierende, in zahlreichen Punkten verfassungsrechtlich umstrittene Verfassungsänderung des Jahres 1968.

Die Richtung dieser Entwicklung zeigen auch:

— die jüngste, im Zeichen der Diskussion um die Innere Sicherheit handstreichartig durchgeführte Änderung des Grundgesetzes,

— die Einführung einer Art Vorbeugehaft und einer stärkeren Kontrolle der Ausländer sowie

— die von führenden Vertretern der CDU/CSU unablässig verfolgten Pläne für eine „Totalrevision" des Grundgesetzes.

2. Die Januarbeschlüsse des Bundeskanzlers und der Ministerpräsidenten der Länder betreffend
„Grundsätze zur Frage der verfassungsfeindlichen Kräfte im öffentlichen Dienst“
fügen sich nahtlos in diese Entwicklung ein. Sie bedrohen Demokraten in diskriminierender Weise mit dem Berufsverbot, um sie von der Ausübung und Wahrnehmung ihrer demokratischen Rechte abzuschrecken.

1. a) Die Januarbeschlüsse wenden sich formal gegen alle Angehörigen des öffentlichen Dienstes, gleichgültig, ob sie als Beamte oder als Angestellte oder Arbeiter tätig sind, sowie an alle Bewerber in den öffentlichen Dienst, gleichgültig, ob sie in ein Beamtenverhältnis oder — als Angestellte oder Arbeiter — in ein Arbeitsverhältnis übernommen werden wollen.

b) Das erklärte Ziel der Januarbeschlüsse ist es, alle Personen dieses Adressatenkreises, die sogenannte „verfassungsfeindliche Aktivitäten entwickeln“ oder die einer Organisation angehören, „die verfassungsfeindliche Ziele verfolgt“, vom öffentlichen Dienst fernzuhalten oder aus dem öffentlichen Dienst zu entfernen.

c) Die Januarbeschlüsse stellen damit den Versuch dar, das in mehreren Fällen schon praktizierte Berufsverbot für Kommunisten, Marxisten, Sozialisten und Demokraten bundeseinheitlich durchzuführen. Sie stehen in dieser Hinsicht in einer ungebrochenen historischen Tradition mit den Karlsbader Beschlüssen, mit den Sozialistengesetzen und mit dem faschistischen Gesetz zur Wiederherstellung des Berufsbeamtentums. Im Unterschied zur Verfolgung der Kommunisten in den fünfziger Jahren, die vor allem die erfahrenen Kader der Arbeiterbewegung traf, sind die Januarbeschlüsse in erster Linie gegen die Vertreter der Intelligenz und zwar insbesondere im Wissenschafts- und Bildungsbereich gerichtet.

2. a) Die Januarbeschlüsse berufen sich für die Beamten auf die Beamtengesetze des Bundes und der Länder, für die Arbeiter

und Angestellten des öffentlichen Dienstes auf die „jeweiligen tarifvertraglichen Bestimmungen". Sie versuchen den Eindruck zu erwecken, als seien die in ihnen niedergelegten Grundsätze geltendes Recht, als seien sie lediglich Interpretationen geltender Gesetze und Tarifverträge.

b) Die Beamtengesetze normieren nur die Pflicht der Beamten, sich „zu der freiheitlich-demokratischen Grundordnung im Sinne des Grundgesetzes (zu) bekennen und für deren Erhaltung ein-(zu)treten". Nicht einmal der Wortlaut dieser Norm vermag zu rechtfertigen, daß nach den Januarbeschlüssen

— Zweifel an der Verfassungstreue genügen sollen, um die Ablehnung der Übernahme in das Beamtenverhältnis zu rechtfertigen,

— die bloße Mitgliedschaft in einer Organisation, die die Exekutive für verfassungswidrig hält, hinreichend sein soll, um Zweifel an der Verfassungstreue des Bewerbers zu begründen und

— ebenfalls die bloße Mitgliedschaft in einer derartigen Organisation genügen soll, um einen Beamten aus dem Dienst zu entfernen, das Beamtenverhältnis also zu beenden.

c) Gegenüber dem Versuch, die Geltung dieser Grundsätze für Arbeiter und Angestellte auf die „jeweiligen tarifvertraglichen Bestimmungen" zu stützen, gilt gleiches in verstärktem Maße, weil kraft Tarifvertrags die Arbeiter nur zu einem Bekenntnis zur „demokratischen Staatsauffassung" und die Angestellten nur zu einem Bekenntnis zur „freiheitlich-demokratischen Grundordnung im Sinne des Grundgesetzes" verpflichtet sind. Was die Regierungschefs als durch tarifvertragliche Bestimmungen gedeckt ansehen, erweist sich somit als Versuch, den Inhalt von Tarifverträgen in einer Weise umzuinterpretieren, die auf ihre Verschärfung und damit auf ihre Änderung hinausläuft. Diesem Versuch einer einseitigen, unter Ausschluß der am Vertrag beteiligten Gewerkschaften erfolgenden Änderung von Tarifverträgen stehen die Grundsätze des Tarifvertragsrechts, vor allem die Tarifautonomie, entgegen.

3. Die „Grundsätze" sind in ihrem Geltungsanspruch gegenüber Beamten, erst recht aber in ihrem Geltungsanspruch gegenüber Arbeitern und Angestellten mit der Verfassung nicht vereinbar. Ihre Anwendung verstößt insbesondere

— gegen das allen Deutschen gewährte Recht auf gleichen Zugang zu allen öffentlichen Ämtern ungeachtet ihrer politischen Einstellung und ihres religiösen oder weltanschaulichen Bekenntnisses und differenziert lediglich nach „Eignung, Befähigung und fachlicher Leistung" (Art. 33 Abs. 2 i. V. m. Art. 3 Abs. 3),

— gegen die Grundrechte aus Art. 5 Abs. 1, 9 Abs. 1 und 12 Abs. 1,

— gegen das den Grundrechten gleichstehende Privileg des Bundesverfassungsgerichts, über die Verfassungswidrigkeit von Parteien zu entscheiden (Art. 21 Abs. 2) und die Verwirkung von Grundrechten festzustellen (Art. 18),

— gegen den Rechtsstaatsgrundsatz, der es verbietet, Grundrechtsbeschränkungen von so unbestimmten Voraussetzungen abhängig zu machen, daß die Grundrechtsträger das Ob und Wie des Eingriffs nicht vorhersehen können.

Der Versuch, gegen diese klaren Verfassungspositionen die „herkömmlichen Grundsätze des Berufsbeamtentums" (Art. 33 Abs. 5) auszuspielen, geht fehl, weil diese Grundsätze selbst im Sinne der obigen Verfassungsbestimmungen zu interpretieren sind.

4. Die Januarbeschlüsse sind ein weiterer Schritt zur Gleichschaltung des Staatsapparats mit jenen reaktionären Kräften vornehmlich in der CDU/CSU als der Hauptsachwalterin der Wirtschaft, die unter Berufung auf die nur für sich selbst beanspruchte Legitimität die demokratische Legalität verlassen, die die „freie-demokratische Grundordnung" mit der gegenwärtigen kapitalistischen Wirtschaftsordnung gleichsetzen und die jede Kritik daran und jede Reformabsicht in die Illegalität abzudrängen versuchen. Die ursprünglich antifaschistische Stoßrichtung der „streitbaren Demokratie" wird unter dem Vorwand der Abwehr angeblich totalitärer Bestrebungen in ihr Gegenteil pervertiert und gegen alle Demokraten gewendet.

Thesen für die Arbeitsgruppe IV

Georg Fülberth
Organisationsansätze, gewerkschaftliche Orientierung, örtliche Arbeit

I.

Die Studentenbewegung sowie die Verunsicherung der Ordinarienuniversität durch neue Effektivitätsanforderungen haben seit Mitte der sechziger Jahre in breitem Umfang neue Normen für die Erarbeitung wissenschaftlicher Ergebnisse, ihre Anwendung sowie die Organisation von Forschung und Lehre nicht nur massenhaft diskutabel gemacht, sondern in den Mittelpunkt politischer Auseinandersetzungen gerückt; diese Normen lassen sich am ehesten unter dem Begriff der „Demokratisierung" stichwortartig kennzeichnen. Die wesentlichsten Demokratisierungsforderungen, die in diesem Zusammenhang erarbeitet wurden, lauten:

— Gleichberechtigte Mitbestimmung aller Hochschulangehörigen an der Organisation von Forschung und Lehre;

— Orientierung der Forschungs- und Lehrinteressen an gesamtgesellschaftlichen Bedürfnissen, die mit den Bedürfnissen der Mehrheit der Mitglieder der Gesellschaft identifiziert werden;

— demokratische Kontrolle über die Anwendung und Verbreitung der Ergebnisse von Wissenschaft;

— demokratische Integration des Ausbildungswesens mit dem Ziel des Abbaus sozialer Schranken zwischen den einzelnen Ausbildungsgängen und vor dem Zugang zu bestimmten Ausbildungsbereichen.

Einige dieser Forderungen konnten in den letzten Jahren partiell durchgesetzt werden, am sichtbarsten in den Mitbestimmungsregelungen der Universitätsgesetze einzelner Länder. Diese Reformfortschritte verlangsamen sich seit etwa zwei Jahren, es besteht die Gefahr einer gegenreformerischen Liquidierung bereits erreichter Demokratisierungsfortschritte.

Das Patt zwischen Reformkräften und Reaktion, das bereits in ein gegenreformerisches roll-back überzugehen droht, ist Ausdruck sehr komplizierter Stärkeverhältnisse:
Der „Bund Freiheit der Wissenschaft“ hat in den eineinhalb Jahren seines Bestehens ein hohes Maß an organisatorischer Konsistenz und politischer Effektivität erreicht. Seine Anhänger und Sympathisanten verfügen über stabile Mehrheiten in zahlreichen Universitäten und Fachbereichen. Das Maß an Geldmitteln, das in seiner Publikationstätigkeit sichtbar wird, läßt auf den Grad seiner Fremdfinanzierung schließen. Er hat Zugang zu den einflußreichsten Massenmedien, Verbindungen zu Kultusbürokratien, Parteien und Verbänden bis hin zu Teilen der Gewerkschaften und der SPD. Wahrscheinlich ist der „Bund Freiheit der Wissenschaft“ selbst noch nicht einmal das bewegende Zentrum der kompakten Reaktion, die die Bildungsreform aufhält, sondern nur ihr pittoreskester Ausdruck.
Den Kräften, die die Demokratisierung von Forschung und Lehre, Anwendung und Verbreitung von Wissenschaft vorantreiben wollen, fehlt jenes Maß an Kooperation, das sich die Gegenseite in den letzten Jahren erworben hat. Folgende Gruppen von Reformern arbeiten zur Zeit teilweise noch mehr nebeneinander als miteinander:

1. Die demokratische Studentenbewegung;
2. Einzelne demokratische Bildungspolitiker in Parlamentsfraktionen von SPD und FDP, in Minister-, Präsidenten- und Rektorenfunktionen;
3. Teile der Gewerkschaften, besonders die GEW;
4. In den hochschulpolitischen Auseinandersetzungen der letzten Jahre hat sich in vielen Universitäten ein relativ breites Potential von demokratischen Wissenschaftlern, meist im sog. Mittelbau, herausgebildet, das teils schon aus der Studentenbewegung kam, teils seine politische Profilierung in universitäts- und fakultätsinternen Konflikten erfuhr. Meist handelt es sich um parteipolitisch oder gewerkschaftlich Unorganisierte, bei vielen von ihnen besteht noch eine Differenz zwischen weit vorgeschobenen wissenschaftspolitischen Positionen und ihrer allgemeineren politischen Orientierung außerhalb der Universitäten. Diese Gruppierung von

Liberalen, radikalen Demokraten und Sozialisten stellt an zahlreichen Universitäten die Mehrheit derer, die dort einen demokratischen Umschwung herbeiführen halfen.

Die folgenden Betrachtungen gelten zunächst dieser vierten Gruppe:
Auffällig ist zunächst der geringe Grad ihrer Organisiertheit. Erst in jüngster Zeit kam es zu lokalen Gruppenbildungen (mehrere Gruppen in Berlin; Arbeitskreis demokratischer Hochschulangehöriger / Erlangen; Initiative demokratische Hochschule / Bonn; Arbeitskreis Sozialistischer Assistenten / Marburg; Schwabenheimer Kreis / Heidelberg; einzelne GEW-Gruppen). Der politische Zusammenhalt zwischen den unorganisierten hochschulpolitischen Einzelkämpfern resultiert meist aus gemeinsamer Gremienarbeit oder auch nur aus gemeinsamer Notwehr.

Allerdings wächst auch allgemein das Bewußtsein von der Notwendigkeit stärkerer Organisierung. Dabei wäre es voluntaristisch, wollte man diese Wissenschaftler lediglich zum Eintritt in Parteien oder in die GEW auffordern. Einer schnellen gewerkschaftlichen Organisierung stehen sehr oft nur allmählich zu behebende Hindernisse aus dem politischen Sozialisationsprozeß der Betroffenen im Wege, daneben zuweilen auch die bereits erwähnte Differenz zwischen dem Stand des hochschulpolitischen und des allgemeinpolitischen Bewußtseins, gerade auch in Gewerkschaftsfragen. Hinzu kommt, daß die stärkere hochschulpolitische Profilierung der GEW noch relativ neuen Datums ist, in den einzelnen Landesverbänden sich verschieden stark durchgesetzt hat und an vielen Universitäten noch nicht voll sichtbar geworden ist. Noch schwieriger ist dieses Problem für die Wissenschaftler außerhalb des Ausbildungssektors, für die nicht die GEW, sondern andere Gewerkschaften, die hochschulpolitisch weniger profiliert sind, zuständig sind.

Kurz: Die Prozesse der gewerkschaftlichen Orientierung demokratischer Intelligenz einerseits, der hochschulpolitischen Orientierung der Gewerkschaften andererseits, lassen sich nur langfristig koordinieren, nicht so kurzfristig synchronisieren, als daß gewerkschaftliche Orientierung *allein* bereits jetzt die organisatorische Voraussetzung zur Lösung unmittelbar anstehender wissenschaftspolitischer Aufgaben sein könnte. So kommt es, daß an einigen Universitäten gewerkschaftliche und nichtgewerkschaftliche Gruppen gleichzeitig arbeiten. (Zu den Einzelheiten vgl. unten S. 95: „Warum ist eine *ausschließliche* Organisierung der demokratischen Intelligenz in der GEW zur Zeit nicht möglich?“)

In noch größerer Schärfe stellt sich dieses Problem für das Verhältnis von demokratischer Intelligenz und Parteien. Man wird davon ausgehen müssen, daß die demokratischen Bildungsreformer in sämtlichen im Bundestag vertretenen Parteien in der Minorität (so sehr diese sich in ihrer hochschulpolitischen Profilierung unterscheiden mögen und so sehr die SPD und — in geringerem Maße — die FDP allein demokratischen Wissenschaftspolitikern noch innerparteiliche Aktionsfelder geben) und gesamtparteilichen, nicht allein durch die Zielsetzung einer Demokratisierung des Bildungswesens bestimmten Parteiloyalitäten unterworfen sind. Eine ausschließliche Organisierung demokratischer Intelligenz in einer dieser Parteien wird die hochschulpolitischen Wirkungsmöglichkeiten dieser Intellektuellen zugleich fördern und hemmen, kann auf jeden Fall nicht ihre einzige Organisierungsform bleiben, selbst wenn die gleichzeitige Organisierung in einer Gewerkschaft hinzukommt.

Aus diesen Überlegungen entstand die Initiative des „Bunds Demokratischer Wissenschaftler“ (BDW) zur Aktivierung eines „wissenschaftspolitischen Verbands“ demokratischer Intellektueller. Die nächsten Aufgaben eines solchen Verbandes sind:

1. Auf lokaler Ebene: Koordination der politischen Aktivitäten der Demokraten an einer Universität, Abstimmung der Gremienarbeit; Kooperation mit den lokalen Gewerkschaftsorganen;

2. Auf überregionaler Ebene: Errichtung eines Koordinations- und Informationszentrums, über das die einzelnen arbeitenden Gruppen und Individuen ihre Tätigkeiten abstimmen und sich gegenseitig informieren; Erarbeitung von Konzeptionen für überlokale wissenschaftliche Organisationen bzw. Gremien bzw. Hochschulneugründungen, dies jeweils in enger Kooperation mit

der GEW; Einwirkung auf die Öffentlichkeit, insbesondere systematische Dokumentation von Fällen politischer Repression und Kampf gegen verfassungswidrige politische Diskriminierung.

Diese unter 1. und 2. genannten Aufgaben sollen innerhalb der Organisationsstruktur eines „politischen Verbandes": des BDW, wahrgenommen werden.

In den Gesprächen zwischen BAK, BDW, GEW, VDS und einzelnen Rektoren und Präsidenten im Mai und Juni 1972 wurde darüber hinaus die Schaffung eines Bündnisses für den Herbst 1972 in Erwägung gezogen. Dabei muß strikt auf dem Bündnischarakter dieses Zusammenschlusses, in welchem jeder der Beteiligten seine organisatorische Selbständigkeit behält, bestanden werden. Dies ergibt sich bereits aus der Verschiedenartigkeit der Partner: Es ist nicht denkbar, daß die GEW in einem übergeordneten Verband aufgeht; eine Auflösung der BAK in einer neuen unitarischen Organisation würde — ebenso wie der persönliche Eintritt einzelner Rektoren und Präsidenten — dieser keinen erheblichen quantitativen Zugewinn bringen. Ein Aufgehen des BDW in einer solchen unitarischen Organisation ist aufgrund der oben aufgezeigten Phasendifferenz zwischen wissenschaftspolitischem demokratischem Engagement, gewerkschaftlicher Orientierung und schließlich — als letztem Schritt — gewerkschaftlicher Organisierung vieler demokratischer Intellektueller nicht anzustreben. Unter der Voraussetzung eines schnellen Mitgliederzuwachses des BDW wären GEW, VDS und BDW die mitgliederstärkeren Träger dieses Bündnisses, wobei sich das Verhältnis zwischen GEW und BDW als Verhältnis zwischen Gewerkschaft und „politischem Verband" mit gleicher Zielstellung ergibt. Zu lösen bleibt noch das Problem der unabdingbaren Beteiligung anderer Gewerkschaften, in denen Intellektuelle organisiert sind. Daraus ergibt sich ein weiteres Mal, daß der neue Dachverband nur ein Bündnis selbständiger Verbände, also ein Kartell mit indirekter Struktur sein kann.

Aus diesem Bündnischarakter des Zusammenschlusses erhellt zugleich, daß er die Neuaktivierung des BDW nicht überflüssig macht, sondern daß diese Neuaktivierung des BDW eine Voraussetzung für dieses Bündnis ist. Man wird nicht persönlich Mitglied des Bündnisses, sondern nur eines der beteiligten Verbände sein können.

Wer dieses Bündnis demokratischer, wissenschaftspolitischer engagierter Organisationen stärken will, wird zumindest dem BDW beitreten. Wer die enge Kooperation von GEW und BDW will, wird beiden Verbänden angehören wollen.

Es soll nicht verschwiegen werden, daß in den bisherigen Vereinbarungen zwischen BAK, BDW, GEW, VDS und einzelnen Rektoren/Präsidenten die konkrete Form des zukünftigen Bündnisses noch unklar blieb. Gerade diese Unbestimmtheit, die Gefahr auch, daß die Bildung oder Verhinderung des übergreifenden Dachverbandes von wahltaktischen Gesichtspunkten bestimmt sein kann, machen es nötig, mit dem BDW eine Organisation zu schaffen, in der erstens für eine längere Zeit Intellektuelle auch ohne das Bestehen einer solchen Bündnisorganisation sich zusammenfinden können und die zweitens bündnisfähig ist und in einem Bündnis zusammen mit der GEW ein dominierendes Gewicht haben wird.

II.

Warum ist eine ausschließliche Organisierung der demokratischen Intelligenz in der GEW zur Zeit nicht möglich?

1. Viele Intellektuelle, die sich in hochschulpolitischen Auseinandersetzungen demokratisch profiliert haben, sind noch nicht bereit, in eine Gewerkschaft einzutreten. Gründe: Differenzen zwischen ihrem wissenschaftspolitischen und allgemeinpolitischen Bewußtsein, die erst allmählich aufgehoben werden können; Besonderheiten des politischen Sozialisationsprozesses dieser Intellektuellen. Es stehen hochschul- und wissenschaftspolitische Aufgaben an, die sofort in Angriff genommen werden müssen, noch bevor mit einer genügend breiten gewerkschaftlichen Organisierung von Intellektuellen gerechnet werden kann. Ein wissen-

schaftspolitischer Verband, der in enger Verbindung mit den Gewerkschaften steht, kann diese Aufgaben angehen und zugleich die gewerkschaftliche Orientierung und Organisierung einer immer größeren Zahl seiner Mitglieder herbeiführen.

2. Dieser hochschul- und wissenschaftspolitische Verband — als der sich etwa der neu zu aktivierende „Bund Demokratischer Wissenschaftler" anbietet — sollte nicht nur im Ausbildungssektor Beschäftigte organisieren — sondern auch Intellektuelle in anderen Bereichen, etwa Ärzte, technische Intelligenz. Für sie ist nicht die GEW, sondern sind andere Gewerkschaften zuständig, z. B. ÖTV, IG Chemie, IGM. Eine Verengung auf die GEW wäre nur zulässig, wenn man allein die in Schule und Hochschule tätige demokratische Intelligenz politisch aktivieren wollte. Dies kann nicht Ziel des BDW sein.

3. Die GEW hat den Status ständischer Politik, wie er in den alten Lehrerverbänden betrieben wurde, überwunden, wenn auch Relikte dieser Positionen in einzelnen Gliederungen dieser Gewerkschaft noch feststellbar sind und einer weiteren gewerkschaftlichen Orientierung erst in absehbarer Zeit völlig erliegen werden. Angesichts der Tatsache, daß demokratische Intellektuelle sich — trotz der Verdienste, die sozialdemokratische Bildungspolitik in mehreren Ländern sich erworben hat — wohl kaum in ihrer Mehrheit in allen Punkten mit der Bildungspolitik einer einzigen politischen Partei werden identifizieren können, andererseits ein organisiertes Artikulationsinstrument ihrer wissenschaftspolitischen Position brauchen, muß eine Organisation, die sie sich zu diesem Zweck schaffen, den Charakter eines „politischen Verbands" haben. Diese Aufgabe mit allen ihren Konsequenzen kann die GEW zur Zeit nicht übernehmen. Eine Annäherung der Positionen eines solchen (wissenschafts-) „politischen Verbands" und der GEW sollte auf zweierlei Weise herbeigeführt werden: 1. durch möglichst massenhafte Einzelmitgliederschaft der Mitglieder des „politischen Verbands" in der GEW, 2. durch Einflußnahme auf die GEW (und umgekehrt) im Zuge ständiger Kooperation.

4. Nach einigen Landessatzungen der GEW sind Stellungnahmen einer Grundeinheit — etwa einer Hochschulsektion — nur möglich nach Gegenzeichnung durch den übergeordneten Vorstand (Kreisvorstand, Landesvorstand). Trotz des gegenwärtigen schnellen politischen Transformationsprozesses der GEW ist es denkbar, daß eine durch konservative Mehrheiten majorisierte Hochschulsektion auf diese Weise in einigen Fällen ihre politische Position nicht in dem Maße artikulieren kann, wie dies ihren Kampf- und Arbeitsbedingungen an ihrer Universität nach unabdingbar wäre. Daraus ergeben sich folgende Notwendigkeiten: a) Schaffung eines mit der GEW verbundenen „politischen Verbands“, dessen Sektionen Stellungnahmen abgeben können, die nicht der vollen Genehmigung durch übergeordnete Instanzen bedürfen; b) Mitgliedschaft der Mitglieder dieses „politischen Verbands“ in der GEW, um ihre Positionen auch in der Gewerkschaft sichtbar zu machen und sich dort um Mehrheiten zu bemühen; c) Diskussion zwischen „politischem Verband“ und Gewerkschaft, Versuch wechselseitiger solidarischer Einflußnahme.

Thesen für die Arbeitsgruppe V

Wulf D. Hund, Volker Jentsch, Gerhard Kade, Helmut Kopka, André Leisewitz, Rainer Rilling und Ulrich Rödel

Forschungspolitik und Forschungskontrolle

1. *Vorbemerkung*

Dieser Diskussionsbeitrag versucht, gegenwärtig vorherrschende Interpretationen der wissenschaftlichen Tätigkeit, allgemeine Entwicklungsbedingungen und Kennzeichen der Forschungspolitik und Probleme der Mitbestimmung und Organisation im Wissenschaftsbereich darzustellen. Verschiedene theoretische und methodische Voraussetzungen und empirische Materialien können in diesem Rahmen natürlich nicht aufgeführt werden.

2. *Vorherrschende Interpretationen*

Sofern in der gegenwärtigen forschungspolitischen Diskussion eine — mindestens teilweise — Unvereinbarkeit von Wissenschaft und Demokratie behauptet wird, wie es sich in den Attakken der CDU/CSU, des BFW, verschiedener Unternehmerorganisationen und anderer politischer Kräfte gegen die Mitbestimmung im Wissenschaftsbereich zeigt, sind der Regel nach zwei Argumente im Spiel: 1. Wissenschaft sei bloß individuelle Erkenntnis. 2. Wissenschaft bedürfe funktionaler Autorität.

Zu 1. Die liberale Wissenschaftsideologie

Hier wird die sich im Verlauf der Wissenschaftsentwicklung ausbreitende arbeitsteilige Organisation von Forschungsprozessen geleugnet. Wissenschaftliche Leistungen sollen allein der individuellen schöpferischen Produktivität zuzurechnen sein. Die durch Reputation honorierte hervorragende wissenschaftliche Leistung begründet den Anspruch einzelner Wissenschaftler in allen organisatorischen Fragen, die die wissenschaftliche Forschung betreffen, exklusiv zu entscheiden. Die im wesentlichen durch irrationale Elemente gesteuerte, spontan-kreative Forschung wird hier letztlich als ein Vorgang interpretiert, der sich außerhalb jeglicher sozialökonomischer Determination vollzieht. Allein die im Objekt der wissenschaftlichen Erkenntnis begründeten Anforderungen und Gesetzmäßigkeiten sollen Ziel, Methodik und Organisation der Forschung bestimmen. Als handlungsleitende Norm erscheint, daß Wissenschaft als Selbstzweck betrieben werde und der über das forschende Individuum vermittelten Freiheit (Autonomie) bedürfe. Charakteristisch ist eine kooperations- und planungsfeindliche Grundhaltung; in Anlehnung an die Ideologie des Konkurrenzkapitalismus wird behauptet, daß die ungehinderte Steuerung der Einzelinitiativen miteinander konkurrierender Einzelwissenschaftler durch sich aus den Erkenntnisobjekten ableitende wissenschaftsinterne Regulative den wissenschaftlichen Fortschritt optimal vorantreibe und zugleich den größten gesellschaftlichen Nutzen erbringe.

Zu 2. Die Ideologie des Wissenschaftsmanagements

Mit dem Übergang zum big science, d. h. mit der Industrialisierung der Forschungsprozesse und dem damit verbundenen Ansteigen der erforderlichen finanziellen Aufwendungen konnte die liberale Wissenschaftsideologie vor allem gegenüber den Geldgebern (staatliche Instanzen) nicht ohne Mühe aufrechterhalten werden. Die Prozesse der Großforschung mußten aus Gründen der Legitimation direkt auf politisch formulierte Zielsetzungen bezogen werden. Aufgabe der Wissenschaftsmanager, die zumeist durch den wissenschaftsinternen Reputationsmechanismus selegiert werden, ist es, big science deklarativ auf gängige ideologische Leerformeln wie ‚wirtschaftliches Wachstum', ‚Konkurrenzfähigkeit', ‚zukunftsweisende Technologien' etc. zu beziehen. Dieser Modus der Legitimation dient wissenschaftsintern dazu, die Forschungsprozesse aus Gründen der ‚Effektivität' nach dem Modell der Arbeitsorganisation im Industriebetrieb durchzurationalisieren. Wissenschaftliche Produktivität ist dann ein Problem effizienter Forschungsorganisation. Nicht geleugnet wird, daß Forschung einen sozialen Prozeß darstellt. Das Entscheidungsmonopol und die uneingeschränkte Dispositionsbefugnis weniger Personen im Wissenschaftsbereich wird dann jedoch mit der funktionalen Autorität begründet, die diese Personen kraft Sachkenntnis besitzen: „Der Wissenschaft im allgemeinen und der Grundlagenforschung im besonderen wohnt nun einmal ein hierarchisches, wenn man will aristokratisches Prinzip inne“ (G. Zehm, Die Welt v. 14. 7. 1971).

Die Ideologie des Wissenschaftsmanagements ist mit der liberalen Wissenschaftsideologie insofern verbunden, als hier der Träger funktionaler Autorität als bloßer Vermittler der Determination wissenschaftlicher Erkenntnis durch ihren Gegenstand erscheint. Diese Ideologie bietet den Vorteil, mit einer Planung des Wissenschaftsprozesses und den Erfordernissen arbeitsteiliger Wissensproduktion vereinbar zu sein, sofern sich diese nur entsprechend legitimiert.

Wenn die sozialökonomische und politisch-ideologische Determination des Wissenschaftsprozesses ignoriert und nur auf die objektgebundene „innere Sachgesetzlichkeit“ des wissenschaftlichen Fortschritts abgestellt wird, welche Realisierungsmöglichkeiten und Methoden wissenschaftlicher Erkenntnis bestimme, dann gerinnt die gegenwärtige tiefgreifende Reorganisation des Forschungssektors zu einem ideologie- und interessenfreien, „sachgesetzlichen“ Problem. So macht die hier sichtbare Verflechtung beider Interpretationen des Forschungsprozesses deutlich, warum ständische Gruppen innerhalb und außerhalb der Hochschulen und zugleich Vertreter des Industrie- und Finanzkapitals etwa in einer Organisation wie dem BFW gemeinsam Frontstellung machen können gegen Demokratisierungsbestrebungen, und weiter, wie sich elitär-objektivistische und technokratische Interpretationen („sachgerechte“ oder „funktionsdifferenzierte“ Mitbestimmung) miteinander verfilzen. Obwohl die beiden skizzierten Ideologien sich ihrem Inhalt nach widersprechen, erfüllen sie äquivalente Funktionen. Beide rechtfertigen das Bestehen hierarchischer Entscheidungsstrukturen in Universitäten und Forschungsinstitutionen, beide legitimieren die Prärogativen eines scientific establishment in wissenschaftsinternen und in wissenschaftspolitischen Entscheidungsprozessen. Beide Ideologien liefern probate Gründe für die Entmündigung der Studenten einerseits und der als Lohnarbeiter in den Forschungsinstitutionen arbeitenden Wissenschaftler andererseits, soweit es ihnen nicht gelingt, individuell in das establishment scientific aufzusteigen.

In beiden Interpretationen kommt aber auch die gemeinsame Illusion zum Ausdruck, es bestünde ein absoluter Gegensatz zwischen ideeller und materieller Produktion. Dabei wird nur ein Aspekt wissenschaftlicher Tätigkeit gesehen: daß nämlich der Wissenschaftler Probleme aus Natur und Gesellschaft in seinem Kopf bewege. Dieser Umstand, nicht unmittelbar, handfest verändernd tätig zu sein, führt zur irrigen Auffassung, Wissenschaft sei von Arbeit verschieden. Gerade bei den traditionellen Geisteswissenschaftlern ist dieses falsche Bewußtsein sicherlich wesentlich verhärteter als bei der naturwissenschaftlich-technischen Intelligenz. Je mehr jedoch auch die Gesellschafts- und Geisteswissenschaften zunehmender Wissenschaftsausstattung bedürfen, um noch sinnvoll forschen und exakt argumentieren zu können, um so mehr wird diesem falschen Bewußtsein der Boden entzogen. In Wirklichkeit nämlich kann Wissenschaft — sei sie Natur- oder Gesellschaftswissenschaft — nicht reduziert werden auf das Produkt ideeller Erkenntnistätigkeit Wissen. Sie kann auch nicht als bloße Betätigung des Kopfes begriffen werden.

Wissenschaft ist Bestandteil der allseitigen Realitätsaneignung des Menschen und insofern Arbeit. Auch der wissenschaftlichen Produktion eignen die einfachen Momente des Arbeitsprozesses (zweckmäßige Tätigkeit, Arbeitsmittel und Arbeitsgegenstand); daß die wissenschaftlich Arbeitenden untereinander gesellschaftliche Verhältnisse eingehen, Produktionsverhältnisse realisieren, ist vor allem seit der mit Heraufkommen der Großforschung rapide voranschreitenden Vergesellschaftung der Wissenschaft vollends manifest. Äußere Kennzeichen dieses Prozesses sind z. B. die Verknüpfung der Wissenschaft mit der materiellen Produktion, die Integration und Differenzierung der Wissenschaft, die engere Verflechtung der einzelnen Stufen des Forschungsprozesses.

3. *Kennzeichen der Forschungspolitik*

Unter den Bedingungen kapitalistischer Produktion hat dieser Vorgang der Vergesellschaftung der Wissenschaft spezifischen Charakter. Wissenschaft und Forschung werden zunehmend in eine Anlagesphäre von Kapital verwandelt, ihre Entwicklung wird weitgehend von den Gesetzmäßigkeiten der Kapitalverwertung bestimmt. Wenn eine solche sozialökonomische Determination der Wissenschaftsentwicklung zugestanden wird, stellt das Problem Wissenschaft und Demokratie sich nicht primär dar als Frage nach der Kontrolle funktionaler Autorität. Sachverstand und Mitbestimmung schließen sich nicht aus, sondern bedingen einander. Worum es geht, ist letztlich der Zusammenhang von Demokratie und Kapitalverwertung. Der Satz, über Erkenntnisse könne man nicht abstimmen, spiegelt daher nur wider, daß über Kapitalinvestitionen im Wissenschaftsbereich tatsächlich nicht abgestimmt wird.

Der größte Teil des nationalen Forschungspotentials der BRD unterliegt privatkapitalistischer Verfügungsmacht. Allein fünf der zehn größten westdeutschen Unternehmen gaben 1969 für Forschung und Entwicklung 2,248 Mrd. DM aus, was über ein Drittel der unternehmenseigenen und knapp ein Fünftel der Gesamtausgaben für Forschung und Entwicklung in der BRD ausmacht. Die Mehrheit der Wissenschaftler und Techniker arbeitet in der Industrie(-forschung) und ist von der Prioritätensetzung in der Forschung völlig und von der Gestaltung ihrer Arbeits- und Lebensbedingungen weitgehend ausgeschlossen. Ihre Aufgabe ist die Produktion wissenschaftlicher Erkenntnisse, die gewinnträchtig privatkapitalistisch verwertbar sind. Da die hervorragendste ökonomische Eigenschaft der von der wissenschaftlichen Tätigkeit hervorgebrachten Ergebnisse ist, daß sie im Gegensatz zu den Resultaten der materiellen Produktion einmal entdeckt, dank ihres immateriellen Charakters prinzipiell gleichzeitig und zudem beliebig oft innerhalb einer Volkswirtschaft angewandt werden können, müssen sie privatisiert werden, um privatkapitalistisch verwertbar zu sein. Die Arbeitsergebnisse werden durch Geheimhaltung und die juristische Konstruktion des Patents fast ausschließlich bei Großunternehmen weitgehend privatisiert, so daß die wissenschaftliche Kommunikation vor allem auf naturwissenschaftlich-technischem Gebiet relativ eingeschränkt wird. Nach Angaben des amerikanischen Wissenschaftshistorikers D. K. Price etwa verfassen in den USA die 70 % in der Industrie arbeitenden Wissenschaftler nur 2 % der wissenschaftlichen Aufsätze und nur 33 % der technischen Publikationen; auch aus der Untersuchung von W. Randl geht hervor, daß 85 % von 3 500 befragten Wissenschaftlern keine Möglichkeit gegeben wird, Konferenzen zu besuchen und wissenschaftliche Artikel zu schreiben. Ebenso ergab sich bei einer Analyse der Arbeitsbedingungen von 100 Forschungsinstituten in der BRD, daß nur 23 keine Geheimhaltungsverpflichtungen einzugehen hatten.

Unter den Bedingungen kapitalistischer Konkurrenz äußert sich diese Einschränkung wissenschaftlicher Kommunikation in der Industrieforschung und ausgreifend auch in den staatlichen Forschungsstätten als eine umfangreiche Parallelarbeit, die nach verschiedenen wissenschaftsökonomischen Untersuchungen dazu führt, daß über die Hälfte der wissenschaftlichen Ergebnisse mehrfach erarbeitet werden und volkswirtschaftliche Verluste in Milliardenhöhe entstehen. Daher garantiert die gegenwärtige Zielorientierung und Organisation der wissenschaftlichen Produktion vor allem in der Industrieforschung und in den „wirtschaftsnahen“ Forschungsstätten weder eine Ausrichtung auf die gesellschaftlichen Mehrheitsinteressen noch eine Entwicklung, die wissenschaftsimmanenten Gesetzmäßigkeiten und Anforderungen entspricht.

Wegen der schroffen Steigerung der Kapitalintensität der Forschung, der wachsenden Mindestgröße in der Forschungsorganisation, der zunehmenden Internationalisierung der Forschung und des relativ hohen ‚Risikos' bzw. der erst nach längerer Zeit möglichen Verwertung des eingesetzten Forschungskapitals wird vor allem seit Mitte der 50er Jahre zunehmend der Staat nicht nur bei der Ingangsetzung (Finanzierung und Aufgabenstellung), sondern immer mehr auch bei der gesamten Planung, Leitung und Organisation von Forschungsprojekten eingeschaltet. Zunächst mobilisiert der Staat Kapital und wendet es an, ohne es unmittelbar, als Kapitalanwender zu verwerten, statt dessen dafür zu sorgen, daß sich die Verwertung, der Profit, beim Kapital realisiert. Neben der direkten staatlichen Förderung der Industrieforschung, deren Bedeutung zunimmt, ist hier vor allem die angewandte Forschung etwa in der FhG und auch die Hochschulforschung zu nennen. Unter diesem Aspekt kann das gesamte staatliche Programm der Schwerpunktforschung gesehen werden (vgl. Bundesbericht Forschung IV). Das bedeutet, daß die Rahmenbedingungen wissenschaftlicher Arbeit in öffentlichen Forschungsstätten zunehmend direkt von gesellschaftlichen Teilinteressen geprägt sind. Inhaltlich ist dabei vorausgesetzt, daß der Staat eine Politik der „Themensicherung" betreibt, d. h. durch materielle Förderung und institutionelle Absicherung werden in der Tendenz nur solche Bereiche entwickelt, deren private Verwertbarkeit sinnfällig ist oder die für die Entwicklung nicht direkt gewinnträchtiger Infrastrukturbereiche bedeutsam sind. Daneben fördert der Staat — vor allem im Bereich der Grundlagenforschung — noch solche Projekte, die sich einer Privatisierung von vornherein entziehen. Unter solchen Voraussetzungen kann der Forderung nach Mitbestimmung gerade nicht mit dem Hinweis begegnet werden, daß der Einbau der inner- und außeruniversitären Forschung in die großen staatlichen Schwerpunktprogramme und die zunehmende staatliche Beeinflussung des wissenschaftlichen Produktionsprozesses die Durchsetzung gesellschaftlicher Mehrheitsinteressen gewährleiste und eine den wissenschaftsimmanenten Erfordernissen folgende Wissenschaftsentwicklung garantiere.

4. *Das Beispiel Max-Planck-Gesellschaft*

Eine Verifizierung dieser Aussagen durch empirisches Material wird dadurch erschwert, daß grundlegende Informationen nicht erarbeitet oder geheimgehalten werden. „Die Hochschulorgane — und die Kultusministerien — sind nur in Ausnahmefällen darüber informiert, worüber und mit welchen Mitteln innerhalb der Hochschule geforscht wird." (Wissenschaftsrat, DUZ 4/1972.) Einen möglichen Zugang eröffnet die Untersuchung der personellen und institutionellen Ressourcen, die Programme und Zielsetzung der Wissenschaft beeinflussen. Das Beispiel der Max-Planck-Gesellschaft kann zumindest ansatzweise die Notwendigkeit verdeutlichen, zu einer grundlegenden Veränderung der gegenwärtigen Forschungspolitik zu kommen.

I. Zu den Entstehungsbedingungen der MPG

Die MPG ist hervorgegangen aus der Kaiser-Wilhelm-Gesellschaft (Gründungsdatum 11. 1. 1911). Das um die Jahrhundertwende expandierende deutsche Kapital verstand es, in der privatrechtlichen Forschungsorganisation sich per Satzung entscheidende Positionen zu sichern. Namhafte Vertreter des Finanz- und Industriekapitals beherrschten die relevanten Organe des Vereins; Mitgliedschaft und Funktionen waren an erhebliche finanzielle Aufwendungen gebunden. Die solchermaßen festgelegten Interessen- und Entscheidungsstrukturen blieben nicht ohne Auswirkung auf ihre Nachfolgeorganisation, die MPG.

II. Funktionen, Zusammensetzung und Wirkungsweise der Organe der MPG

Funktionen:

Den fünf Organen der MPG (Präsident, Verwaltungsrat, Senat, Hauptversammlung und Wissenschaftlicher Rat) sind satzungsgemäß unterschiedliche Aufgaben und Entscheidungskompetenzen zugewiesen, von denen die wichtigsten dem Senat obliegen (Wahl des Präsidenten und der Mitglieder des Verwaltungsrates, Entscheidung über die Berufung von Institutsleitern und wissenschaftlichen Mitgliedern; Festsetzen des Gesamthaushaltsplanes; Beschlußfassung über Gründung, Schließung und Satzungen der Institute). In Wirklichkeit freilich beschränkt sich die Tätigkeit des Senats auf die Ratifizierung der vom Präsidenten und Verwaltungsrat initiierten und entsprechend abgestimmten Vorlagen. Insofern besetzen Präsident und Verwaltungsrat die eigentliche Schlüsselposition im Gesamtgefüge der MPG. Der Präsident ist Vorsitzender des Senats, des Verwal-

tungsrates, der Hauptversammlung (sämtliche Mitglieder der Gesellschaft) und de facto auch des Wissenschaftlichen Rates. Das impliziert eine Reihe wichtiger Lenkungsmöglichkeiten, wie Einberufung, Leitung und Vorbereitung der Sitzungen sowie (auch satzungsmäßig zugestandene) autonome Entscheidungen. Der Präsident verfügt über einen ausgedehnten bürokratischen Apparat (die Generalverwaltung) und erfährt Unterstützung und Legitimation durch Generalsekretär und präsidiale Kommissionen (z. B. ‚Präsidentenkommission für Strukturfragen').
In den Kompetenzbereichen des Verwaltungsrates und des Präsidenten fallen wichtige wissenschaftspolitische Vorentscheidungen über den Gesamthaushaltsplan und Baumaßnahmen, Ausgliederung, Schließung und Neugründung von Instituten, Wahlen für die Organe der Gesellschaft etc.

Zusammensetzung und Wirkungsweise:
Die Frage nach den Interessen, die in die vorweg skizzierten Entscheidungsorgane eingebracht werden, ist immer auch eine Frage nach deren Zusammensetzung. Was kann über diese ausgesagt werden? Verwaltungsrat, Senat und Hauptversammlung sowie die Beratungsgremien der einzelnen Institute, sogenannte Kuratorien, vereinigen Honoratioren vornehmlich aus Wissenschaft, Wirtschaft und Bund und Ländern (Verwaltungsrat: 4 Kapitalvertreter und 3 Wissenschaftler, Generalsekretär beratend; Senat: 16 Kapitalvertreter, 10 Wissenschaftler, 5 Repräsentanten aus Bund und Ländern, 5 sonstige).
Die Wirtschaftsfunktionäre in Verwaltungsrat, Senat und Hauptversammlung gruppieren sich um die kleine Zahl der wichtigsten westdeutschen Großkonzerne und Banken (u. a. Deutsche Bank, Dresdner Bank, Commerzbank, BASF, Bayer, Hoechst, AEG, Siemens, Krupp, Mannesmann, KHD, Rhein. Stahlwerke, ATH, Hoesch, RWE, VEBA). Deren Repräsentanten zeichnen sich durch lange Amtsdauer und Vielfachfunktionen in Wirtschaft und Wissenschaft aus. Die Wahl der Senatoren, der Verwaltungsratsmitglieder und des Präsidenten wird durch Wahlausschüsse vorweg entschieden und gleicht in der Regel bloßer

Kooptation. Eine Kontrolle der Entscheidungsberechtigten geschieht, wenn überhaupt, nur durch die Entscheidungsträger selbst.

Der Wissenschaftliche Rat ist die Versammlung aller Wissenschaftlichen Mitglieder (das sind Personen ‚besonderer wissenschaftlicher Qualifikation'). Der Charakter der jährlichen Sitzungen wird durch den Bericht des Präsidenten festgelegt. Eine gewisse Bedeutung haben die drei Sektionen des Wissenschaftlichen Rates (Biologisch-Medizinische, Chemisch-Physikalisch-Technische und Geisteswissenschaftliche Sektion). Sie besitzen de facto Veto- und Vorschlagsrecht in Berufungsangelegenheiten der Wissenschaftlichen Mitglieder; Hauptverhandlungsgegenstand ihrer Sitzungen ist deshalb die Personalpolitik der wissenschaftlichen Honoratioren in der MPG. Die Institutsleiter bzw. Wissenschaftlichen Mitglieder sind Souveräne ihrer Institute bzw. Abteilungen, ausgestattet mit beträchtlicher Macht und alleiniger Entscheidungsbefugnis.

Die wissenschaftspolitischen Willensbildungen, die aus den institutionellen Verbindungen zwischen Großindustrie und Wissenschaft resultieren, verschließen sich infolge der Geheimhaltung aller wesentlichen Entscheidungsprozesse dem öffentlichen Zugang. Aufschlußreiche Zusammenhänge bestehen über die Interessenkonstellationen im Falle wissenschaftlicher Prioritätensetzung (Ausgliederung, Gründung und Schließung von Instituten; gegenwärtige Forschungsschwerpunkte finden sich bevorzugt in der Chemisch-Physikalisch-Technischen Sektion (15 Institute; mittlere Beschäftigtenzahl 280 Angestellte, davon 72 Wissenschaftler pro Institut) und der Biologisch-Medizinischen Sektion (25 Institute, mittlere Beschäftigtenzahl 117 Angestellte, davon 27 Wissenschaftler pro Institut), kaum dagegen in der Geisteswissenschaftlichen Sektion (9 Institute, mittlere Beschäftigtenzahl 53 Angestellte, davon 23 Wissenschaftler pro Institut)).

Diese Prioritätensetzung darf freilich nicht abgelöst betrachtet werden von den finanziellen Verbindungen zwischen Staat und Wissenschaft (Forschungsfinanzierung der MPG zu über 90 % durch auflagenfreie Globalzuweisung von Bund und Ländern) und der Verflechtung von Wissenschaft und Ideologie (der Präsident der MPG als „wertfreier“ Forscher mit „Eigengesetzlichkeit“ einerseits und Sachwalter technologischer Fortschritte andererseits).

Dies festgehalten, sind folgende Gesichtspunkte in einer vorläufigen kritischen Beurteilung der MPG zusammenzufassen:

a) Der Präsident und der Verwaltungsrat inklusive Generalsekretär verfügen über die zentralen Entscheidungspositionen in der MPG.

b) Die Vertreter des Kapitals durchsetzen die Organe (ausgenommen der Wissenschaftliche Rat) mit zahlenmäßig dominanten Gruppen. Vielfachfunktionen und überlanges Amtieren sowie die Zugehörigkeit zu der kleinen Zahl mächtiger Großkonzerne gewährleisten einen breiten Einzugsbereich ökonomischer Interessen in die Wissenschaftspolitik der MPG. Wie diese Möglichkeiten im einzelnen wahrgenommen werden, ist angesichts der Geheimhaltungsgepflogenheiten der MPG kaum durchschaubar.

c) Der Staat finanziert die Forschungsvorhaben der MPG über eine weitgehend auflagenfreie Mittelzuweisung. Eine direkte Lenkung der Forschungspolitik der MPG ist insofern nicht erkennbar, wohl aber deren Anschluß an die auf die ‚Industrieförderung' orientierten naturwissenschaftlichen Schwerpunktprogramme der Bundesregierung.

d) Die Wissenschaftlichen Mitglieder besitzen in den entscheidungsrelevanten Organen der MPG nur geringe Bedeutung. In ihren Instituten sind sie dagegen im Besitz autonomer Entscheidungsbefugnisse.

5. *Mitbestimmung und Kontrolle*

Art. 5 Abs. 3 Satz 1 GG postuliert: „Kunst und Wissenschaft, Forschung und Lehre sind frei.“ Die Verfassungswirklichkeit in der BRD sieht grundsätzlich anders aus. Die Freiheit von Forschung und Lehre wird in ihrer Abhängigkeit von öffentlichen und privatwirtschaftlichen Mitteln bei fehlender Mitbestimmung über Prioritätensetzung, Vergabe und Einsatz der Mittel durch eine eindeutige Lenkung von Wissenschaft und Forschung im

Interesse der wirtschaftlich Mächtigen beschränkt. Dieses Interesse verwirklicht sich entweder direkt — wie im Fall der Industrieforschung — oder indirekt über Finanzierung und Positionen in staatlichen Entscheidungs- und ‚Beratungs'-Gremien. Hierbei gilt es festzuhalten, daß die großen Industrieunternehmen über wachsende Forschungsinvestitionen aus dem Staatshaushalt in Gestalt von Zuschüssen, Subventionen u. ä. m. verfügen, die nicht von ihnen, sondern den Steuerzahlern aufgebracht werden, über deren Einsatz sie jedoch weitgehend entscheiden und deren Ergebnisse sie privat verwerten können. In diesem Zusammenhang ist zu Recht festgestellt worden, daß sich die Forschungspolitik dadurch auszeichnet, daß die Kosten sozialisiert, die Gewinne jedoch privatisiert werden.

Auf die Folgen einer derartigen Organisation von Wissenschaft und Forschung für die Gesellschaft und die Wissenschaft ist bereits hingewiesen worden:

a) Wissenschaftsimmanenten Erfordernissen wird nur insofern entsprochen, als sie mit den dominierenden gesellschaftlichen Teilinteressen vereinbar sind. Dieser Zusammenhang zeigt sich sowohl in der Angewandten Forschung und Entwicklung und in einer restriktiven Kommunikation als auch in der Grundlagenforschung, in welcher weitgehende zentrale Prioritätenentscheidungen getroffen werden, die sich durchaus langfristig an diesen Interessen orientieren. Auch für die industrielle Grundlagenforschung gilt, daß sie „nicht nur um der Forschung willen existiert, sondern auf lange Sicht dem Werk von Nutzen sein soll" (Hoechst-Forschungsleiter Schultheiss). Auch sie ist von solchen Restriktionen betroffen (vgl. Berthold, Grundlagenforschung, S. 121), wonach die untersuchten industriellen Umsatzmilliardäre „nicht nur den Zeitpunkt, sondern auch die Quantität und die Qualität der Veröffentlichungen" beeinflussen; einige der befragten Großunternehmen betonten ausdrücklich, „daß sie eine Publikation grundsätzlich erst dann gestatten, wenn der durch diese Veröffentlichung wiedergegebene Stand ihres Wissens bereits überholt ist").

b) Bei der Prioritätensetzung werden solche Projekte und Bereiche vernachlässigt, die zur Befriedigung der Bedürfnisse der

Bevölkerung unabdingbar sind. „Selten sind die Interessen der Mehrheit des Volkes als Entscheidungskriterien für wissenschaftliches Arbeiten bewußt akzeptiert worden“ (Erich Frister, Gewerkschaft und Wissenschaft, 288).

c) Die Tatsache, daß wissenschaftliche Arbeit in weiten Bereichen nicht unmittelbar gewinnbringend ist, führt zu ständigen Unterinvestitionen in Wissenschaft und Forschung. Die schlechte Ausstattung der Hochschuleinrichtungen mit sachlichen Mitteln, Raumnot und fehlende Planstellen, Numerus Clausus und die aktuellen Kürzungen der Aufwendungen des Bundes und der Länder sind Ausdruck dieser Misere. Während ein Großteil der Mittel in die naturwissenschaftlich-technische Forschung fließt, sind gesellschaftswissenschaftliche Disziplinen besonders benachteiligt. Hier äußert sich auch die Angst vor kritischer Gesellschaftsanalyse, die sich ebenso in dem unermüdlichen Bestreben zeigt, demokratische und marxistische Wissenschaftler von den Hochschulen fernzuhalten. Gerade auf die kritische Reflexion gesellschaftlicher Verhältnisse und die Entwicklung demokratischer Alternativen kann eine der Emanzipation und Humanität verpflichtete Wissenschaft jedoch niemals verzichten.

Die Unterinvestitionen in der Wissenschaft und der Übergang zu einer intensiven Phase der Wissenschaftsentwicklung haben dazu geführt, daß zum Zweck der Rationalisierung und Effektivierung neue Organisationsformen der Forschung geschaffen wurden und noch werden. Im Bereich der Hochschulen sind (mit dem HRG) vor allem zwei Punkte von Bedeutung:

— die Möglichkeit der Auslagerung und Trennung von Forschung und Lehre und damit verbunden gemeinsam mit der Aufspaltung der Studiengänge nach Kurz- und Langstudium eine Schwerpunktbildung der Forschung

— weitgehende Abschirmung der Forschung — insbesondere auch der drittmittelfinanzierten Forschung — gegen Mitbestimmungs- und Kontrollmöglichkeiten inner- und außerhalb der Universität.

Die Einführung des Kurz- und Langstudiums und eine weitere Verfestigung der Differenzierung zwischen verschiedenen Studiengängen — die dem Konzept der integrierten Gesamthochschule widerspricht — folgt weitgehend den aktuellen Qualifikationsanforderungen der Industrie und ist keineswegs nur eine organisatorisch-technische Frage. Mit der geplanten Qualifikationsdifferenzierung geschieht der wissenschaftlichen Tätigkeit, was der Arbeit in der materiellen Produktion schon lange widerfahren ist. Dequalifizierung und Höherqualifizierung werden so verteilt, daß einer Minorität zu schöpferischer Arbeit qualifizierter Wissenschaftler das Gros zu ausführender und vermittelnder Tätigkeit ausgebildeter Wissenschaftler gegenübersteht. Diese Tendenz prägt sich sowohl im natur- wie gesellschaftswissenschaftlichen Bereich aus; auch die Bildung von Schwerpunkten wird weitere Differenzierungen innerhalb der im Hochschulsektor beschäftigten Wissenschaftler nach sich ziehen und die bereits jetzt beschränkten Möglichkeiten wissenschaftlicher Arbeit allmählich eingrenzen.

Die Schwerpunktbildung in der Forschung geht einher mit einer Zentralisierung der Entscheidungen, dem Aufbau zentraler Planungsinstanzen und dem Versuch, wissenschaftliche Mitarbeiter und Studenten durch eine „funktionsgerechte Mitwirkung" sozialintegrativ auf vorgegebene Interessen zu verpflichten; eine derartige integrative Mitwirkungskonzeption sieht etwa das HRG vor. Auch die Satzungsänderungen, die von der 23. Hauptversammlung der MPG verabschiedet wurden, zielen in diese Richtung, d. h. es geht — wie der ehemalige MPG-Präsident Butenandt vor wenigen Tagen erklärte — „mit dieser Mitwirkung nicht um eine demokratische Ordnung, sondern allein darum, die Leistungsfähigkeit in den Instituten zu steigern" (FR v. 24. 6. 1972). Auch innerhalb der Regierungsparteien sind alle Initiativen zugunsten realer Mitbestimmung auf harten Widerstand gestoßen. Unter den Voraussetzungen zunehmend zentralisierter und weitgehend gesellschaftlichen Teilinteressen verpflichteter forschungspolitischer Entscheidungen und des Ausschlusses von Studenten und wissenschaftlichen Mitarbeitern in den Forschungsstätten auf der „unteren" Entscheidungsebene durch „Forschungssicherungsklauseln" o. ä. kann eine reale Mitbestimmung nicht isoliert in einem Bereich durchgesetzt werden. Dazu bedarf es — schon wegen der großen Bedeutung der Industrieforschung — der Zusammenarbeit von Wissenschaft und Gewerkschaft. Reale Mitbestimmung soll dabei als Methode verstanden werden, die dazu beiträgt, daß die vorhandenen sozialen Interessengegensätze im Wissenschaftsbereich durch den Zwang zur sozialen Verantwortung und rationalen Diskussion vernünftig geregelt werden, die restriktive Eingrenzung wissenschaftsimmanenter Erfordernisse zurückgedrängt wird und durch eine demokratische Zielgebung und Prioritätensetzung die gesellschaftlichen Mehrheitsinteressen ihren ‚Bedarf' anmelden können.

Thesen für die Arbeitsgruppe VI

Hans-Rainer Kaiser und Peter Müller
Zur Studienreform

I

Studienreform-Probleme sind allzu oft — gerade unter Hochschullehrern — allein unter dem Aspekt angegangen worden, welches nun das abstrakt beste Studienmodell sei. Erwägungen unterschiedlichen Inhalts, so zum Beispiel nach der Effizienzsteigerung des Studiums und rationell-zentralisierter Lenkung der Ausbildungsgänge sowie nach der Herstellung gleicher Ausbildungschancen und der Einführung selbstbestimmter Lernformen, wurden nebeneinander aufgelistet als ein Konglomerat mehrerer Möglichkeiten, aus denen nur vernünftig auszuwählen sei. Studienreform wird zum Prozeß „freier Entscheidungen". Solchermaßen unpolitisch erarbeitete Konzepte fortschrittlicher Hochschulmitglieder sind in nicht geringer Anzahl einbezogen worden in Pläne und Maßnahmen der Kultusbürokratie, wo sie — aus ihrem ursprünglichen Kontext gelöst — der Formierung des Hochschulwesens nutzbar gemacht wurden. Spätestens dies zeigt, daß die Neuordnung von Studiengängen, Studieninhalten und Studienformen entscheidend von sozialen und ökonomischen Interessen und politischen Auseinandersetzungen bestimmt wird. Studienreform muß als politischer Vorgang in Angriff genommen werden, der die Interessen der Betroffenen zum Ausdruck bringt, wenn fortschrittliche Ansätze nicht mehr in ihr Gegenteil verkehrt werden sollen.

II

Studienreform ist das eigentliche „Kernstück aller Maßnahmen zur Hochschulreform". Die verstärkte Einbeziehung der Wissenschaft in alle Bereiche der gesellschaftlichen Arbeitsprozesse führt zu einem rapide ansteigenden Bedarf an wissenschaftlich qualifizierten Arbeitskräften. Gleichzeitig vollzieht sich eine Rationalisierung wissenschaftlicher Tätigkeitsfelder, die zu neuen Kommunikations- und Kooperationsformen, zu Technisierung und

Spezialisierung führt. Diese Veränderungen der Qualifikationsstruktur bilden den objektiven Hintergrund für die Hochschulreform, insbesondere für die Veränderung von Studiengängen und Studieninhalten.

Ebenso wie die technisch-organisatorische Umwälzung der Arbeitsvorgänge dem Verwertungsdrang des Kapitals, dem Zwang zum Profit, entspringt, so unterliegt die Ausgestaltung des Hochschulwesens ökonomischen und politischen Restriktionen. Quantitativer und qualitativer Bedarf an Hochschulabsolventen werden durch Numerus Clausus, zentralistisch-undemokratische Planung und Lenkung, Straffung der Ausbildungsgänge usw. seitens der Kultusbürokratie verzerrt wahrgenommen.

Die von staatlicher Seite betriebene Studienreform verläuft in sich widersprüchlich und unsystematisch:

Strukturell-organisatorische Regelungen gehen nicht Hand in Hand mit curricularen Maßnahmen, sondern greifen diesen vor. (Studienreforminstrumentarium KMK/WRK, FIM-Vertrag, zentrale NC- und Registrierverfahren u. ä.). Dagegen werden inhaltliche Tendenzen der staatlichen Reform erst in Umrissen sichtbar: formale Vereinheitlichung bei gleichzeitiger Hierarchisierung, Straffung und Lenkung, Berufsorientierung, innere Stufung der Studiengänge; Formalisierung und Standardisierung der Studieninhalte; politische und ideologische Disziplinierung der Studenten.

Die Entwicklung klafft zwischen den einzelnen Bundesländern sowie zwischen Bund und Ländern nach wie vor auseinander. Regionale politische Unterschiede verhindern die bundesweite Vereinheitlichung. So in der Hochschulgesetzgebung, so in der Lehrerausbildung, so im Fernstudienwesen, so im Graduiertenprogramm.

Hochschul- und Studienreform soll gleichzeitig langfristigen Verwertungsbedürfnissen und kurzfristigen Konjunkturgesichtspunkten nachkommen. Das bedeutet sprunghafte Umverteilung bzw. Streichung von Mitteln für den Kapazitätsausbau.

Diesen wachsenden Schwierigkeiten, der daraus erwachsenden kritischen Opposition der Betroffenen versuchen die Herrschen-

den durch verschärften politischen Druck, Disziplinierungsmittel und ideologische Offensiven zu begegnen.
Jeder demokratische Ansatz zur Studienreform wird eine Konfrontation mit den Bedingungen und Tendenzen dieser Formierung des Studiums einzubegreifen haben.
Die Anarchie staatlicher Maßnahmen bedeutet jedoch nicht, daß Freiräume belassen oder gar neu geschaffen werden, die ohne weiteres mit fortschrittlichen Studienkonzeptionen ausgefüllt werden könnten. Dem Zurückbleiben curricularer Reformen steht die umfassende herrschaftsmäßige Absicherung systemkonformer Inhalte und die Verhinderung kritischer Ansätze gegenüber: durch Ausdehnung der staatlichen Fachaufsicht gegenüber den Hochschulen, durch Berufsverbot gegen marxistische und demokratisch engagierte Wissenschaftler, durch KMK-Tutorenerlass, durch politisch gezielte Verteilung der Finanzmittel . . .
Die Studienreform der Herrschenden vollzieht sich nicht nur in den Amtsstuben der Kultusministerien, sondern auch in den Hinterzimmern der Bürokratie, bei den Spitzeldiensten, wo Gutachten gegen demokratische Wissenschaftler vorfabriziert werden.

III

Diese Formierung des Studiums, die im Interesse der Großkonzerne und des Staates vorgenommen wird, widerspricht entschieden den materiellen Interessen von Studenten und Hochschullehrern.
Die Studenten sind angewiesen auf eine umfassende wissenschaftliche Qualifikation unter angemessenen Studienbedingungen, die ihnen bessere individuelle Voraussetzungen für die Sicherung ihres späteren Arbeitsplatzes verschafft. Die Hochschullehrer sind an Arbeitsbedingungen interessiert, die der Entfaltung ihrer wissenschaftlichen Tätigkeit angemessen sind.
Studenten und Hochschullehrer sind gemeinsam von der Formierung der Hochschulen betroffen. Fremdlenkung, Verschulung der Lehre und des Studiums, Trennung von Forschung und Lehre sind gegen ihre berechtigten Interessen gerichtet. Eine Orientierung von Studium, Lehre und Forschung im Interesse der großen Mehrheit der Bevölkerung, der arbeitenden Menschen, muß

diesen Widerspruch *politisch* weitertragen zu einem solidarischen Bemühen der fortschrittlichen Hochschulangehörigen Seite an Seite mit der werktätigen Bevölkerung um die demokratische Veränderung der Gesellschaft. Dies ist eine unmittelbare und ständige Kampfaufgabe.

Die große Mehrheit der Studenten tritt ein für eine Ausbildung, die ihr die Einsicht in ihre gesellschaftliche Lage in Studium und Beruf vermittelt und sie zur organisierten Wahrnehmung ihrer fortschrittlichen materiellen und politischen Interessen befähigt. Die fortschrittlichen Hochschullehrer sind interessiert an einer kritischen, rationalen und selbstverantwortlichen Entfaltung der Wissenschaft in der Einheit von Forschung und Lehre für den demokratischen Fortschritt der Gesellschaft.

Der gemeinsame Kampf dieser Studenten und Hochschullehrer gegen die Verschärfung der Hochschulsituation durch die Formierung von Ausbildung und Forschung ist notwendiger denn je. Dieses Bündnis wird, für die wirksame Überwindung seiner Hochschulisolation und damit für die tatsächliche Demokratisierung von Hochschule und Gesellschaft, auf ein Zusammengehen mit den lohnabhängig Arbeitenden und ihren Organisationen, den Gewerkschaften, angewiesen sein.

Allein in dieser Zusammenarbeit wird die Wissenschaftlichkeit von Lehre und Studium demokratisch ausgebaut, der Zugang von Arbeiterkindern zu den Hochschulen verankert, die materielle Hochschulmisere beseitigt und Mitbestimmung erkämpft werden können.

IV

Eine fortschrittliche Studienreform wird sich nur in der ständigen Auseinandersetzung mit der staatlichen Formierung durchsetzen lassen. Die Bekämpfung restriktiver Tendenzen heißt nicht, staatliche Maßnahmen pauschal abzutun. Aus der Widersprüchlichkeit der Studienformierung resultieren nämlich zugleich Entwicklungen, die als partiell fortschrittliche Ansätze aufgegriffen und weitertreibend genutzt werden können. Dies betrifft z. B. das Moment der Berufsorientierung, das bornierten Akademismus überwindet und das für eine wissenschaftlich reflektierte Einbeziehung der Berufsperspektive ins Studium zu nutzen ist; das betrifft etwa auch das Moment der formalen Vereinheitlichung des Studiums, das zu einer inhaltlichen Vereinheitlichung und zur Beseitigung von Studien-Hierarchien und -Barrieren ausgebaut werden kann.

Im Kampf um eine fortschrittliche Studienreform wird es wesentlich darauf ankommen, konkret an den vorhandenen Interessen bei Studenten und Hochschullehrern anzusetzen. Studienmodelle, wie etwa das Modell des projektorientierten Studiums, müssen in ihrem Stellenwert als konkrete Utopien erkannt werden, die zwar dem demokratischen Kampf um Form und Inhalt von Studium und Lehre Orientierungsmarken liefern, nicht aber diesen Kampf ersetzen können.

Demokratische Studienreform spielt sich innerhalb und außerhalb von Gremien, in hart geführten Diskussionen und in Massenaktionen ab. Die tägliche Auseinandersetzung um Seminarinhalte, um Prüfungsfragen, um Berufung fortschrittlicher Hochschullehrer, um die materielle Ausstattung der Fachbereiche, um Mitbestimmung: Das ist demokratische Studienreform, eben ein um Struktur, Funktion und Inhalt der Wissenschaft geführter politischer Kampf. Dieser Kampf an der Basis muß zentral koordiniert und gestärkt werden. Es sind demokratisch zusammengesetzte Studienreformkongresse der Hochschulen und Fachbereiche einzurichten unter Einbeziehung der Gewerkschaften.

V

Wenn auch eine demokratische Studienreform sich auf jeweils konkrete Bedingungen beziehen muß, so gilt es doch, einige wesentliche Reformziele festzuhalten, die in der konkreten Situation der politischen Auseinandersetzungen zu realisieren wären:

1. Demokratische Studienreform zielt darauf ab, die Spaltung der Studenten in Heloten und Elite ebenso aufzuheben wie die Spaltung der Hochschullehrer nach Kompetenzen und Lehr- und Forschungsaufgaben. Wissenschaftlichkeit und demokratische Kontrolle müssen für alle Studien- und Hochschulbereiche gelten. Über eine optimale horizontale und vertikale Durchlässigkeit des Studiums sind Erwachsenen- und Weiterbildung in die

Hochschulen zu integrieren und Möglichkeiten einer permanenten Fortsetzung und Erweiterung des Qualifikationsprozesses zu sichern. Die Hochschulen müssen den Kindern der Arbeiterschaft und der werktätigen Landbevölkerung endlich zugänglich gemacht werden.

2. In allen Studiengängen muß eine umfassende wissenschaftliche Qualifikation vermittelt werden. Wissenschaftlichkeit des Studiums impliziert forschendes Lernen und Prüfungen, die nicht mehr zum Zwecke der Disziplinierung und sozialen Selektion eingesetzt werden. Über eine wissenschaftliche Vermittlung von Theorie und Praxis — projektorientiertes Studium — sind die Studieninhalte und Studienformen auf gesellschaftliche Praxis zu orientieren.

3. Demokratische Studienreform besteht wesentlich in der inhaltlichen Bestimmung der Wissenschaft. In der Auseinandersetzung mit dem bestehenden konservativen Lehrbetrieb wird es darum gehen, antidemokratische, friedensfeindliche Inhalte zu bekämpfen und aus dem Studium zu verbannen. Fragen nach dem Erkenntnisinteresse und der ökonomischen, politischen und sozialen Verwendung gelehrter und studierter Wissenschaft werden stärker in den Vordergrund gerückt und im Hinblick auf eine Wissenschaft im Interesse der Demokratisierung von Wirtschaft, Staat und Gesellschaft beantwortet werden müssen. Wissenschaftliche Berufsorientierung wird im Sinne einer kritischen Analyse der geschichtlichen und gesellschaftlichen Funktion des jeweiligen Faches und der späteren Berufstätigkeit der Studenten zu einem konstitutiven Moment des Studiums gemacht werden müssen. Ausbildungsziel kann nur eine emanzipatorische Berufspraxis sein, die die Demokratisierung der Gesellschaft aktiv unterstützt.

Die marxistische Wissenschaft muß als gleichberechtigte Lehr- und Forschungsrichtung in allen Hochschulen, in allen Fachbereichen verankert werden. Konsequenter als jeder andere wissenschaftliche Ansatz vermittelt der Marxismus den Studenten die Einsicht in ihre aktuelle und perspektivische gesellschaftliche Lage.

4. Sowohl in einzelnen Studienveranstaltungen wie in den Entscheidungsprozessen über Studienverlauf und Studieninhalte, Prüfungen, Berufungen usw. müssen die Studierenden genauso wie die Hochschullehrer und Dienstleistenden volle Mitbestimmungs- und Kontrollrechte erlangen. Studienreform muß — lokal und überregional — zu einer Angelegenheit der Fachbereiche und Hochschulen unter Einbeziehung der gewerkschaftlichen Organisationen gemacht werden.

Für eine demokratische Hochschul- und Studienreform!

Für eine Wissenschaft im Interesse der arbeitenden Bevölkerung und der lernenden Jugend!

Thesen für die Arbeitsgruppe VII

Elmar Altvater
Bildungsfinanzierung

1. Es ist notwendig, die Probleme der Bildungsfinanzierung im Zusammenhang der bürgerlich-kapitalistischen Gesellschaft zu reflektieren. Werden diese Zusammenhänge nicht oder unzureichend oder falsch berücksichtigt, dann sind falsche politische Konsequenzen für die Programmatik, die Agitation und die Propaganda des Bundes demokratischer Wissenschaftler zu befürchten. Die Möglichkeiten und Grenzen der Bildungsfinanzierung stellen sozusagen die materielle Basis der Bildungspolitik dar, auf die wir uns kritisch beziehen wollen.

2. Die Erfahrung zeigt, daß die Bildungsfinanzierung selbst für offensichtlich vernünftige Zwecke (Senkung der Klassenfrequenzen, Verlängerung der Schulzeit, Verbesserung der räumlichen Bedingungen in allen Bildungseinrichtungen, Angleichung der Lehrerbesoldung usw.) auf eng gezogene Grenzen stößt, die nicht allein mit den jeweiligen politischen Machtverhältnissen zu erklären sind. Denn auch ein Regierungswechsel — dies zeigt ebenfalls die Erfahrung — bringt hier keine fundamentale Änderung. Da die gleichen Probleme, wenn auch jeweils in historisch unterschiedlicher Form auch in anderen kapitalistischen Ländern auftreten, muß dies seine tiefere Begründung in der Struktur unserer Gesellschaft haben. Dies verweist uns aber unmittelbar auf die Frage nach dem systemspezifischen Charakter der Bildungsausgaben und das bedeutet: nach dem Charakter der Bildung und Ausbildung in unserer Gesellschaft.

3. Wenn wir von der luxuriösen Bildung für die herrschende Klasse einmal absehen, dann dienen die Bildungsprozesse in der Regel der Qualifizierung der Arbeitskräfte für je spezifische Berufe. Dies trifft für alle Bereiche der beruflichen Hierarchien zu, wenn auch hierbei nicht zu unterschlagen ist, daß die jeweilige Bildungsstufe und deren Absolvierung zumeist die Einstiegs-

stelle in die Klassenhierarchie der Gesellschaft bezeichnet. Wenn also auch im Bildungssystem selbst der Klassencharakter der Gesellschaft seine Entsprechung findet und reproduziert wird, so handelt es sich dennoch jeweils um die Qualifizierung von Arbeitskräften, d. h. also um Aufwendungen für Arbeitskräfte, die wie Lohn oder betriebliche oder gesellschaftliche Sozialleistungen *letztendlich*, vermittelt allerdings über komplizierte Umverteilungsmechanismen, vom Profit bzw. Mehrwert der kapitalistischen Klasse abgehen. Diese Bestimmung der Bildungsfinanzen zeichnet bereits eine erste Grenze ihrer Ausdehnung in unserer Gesellschaft: Die Bildungsfinanzen können niemals größer sein als der gesamte wirtschaftliche Mehrwert. Und weiter eingegrenzt: sie können niemals so groß sein, daß sie die Akkumulationsfähigkeit privaten Kapitals entscheidend beeinträchtigen. In dieser Abhängigkeit der Bildungsfinanzen von der Kapitalakkumulation ist auch ihre Abhängigkeit von der konjunkturellen Bewegung eingeschlossen, die somit für die Bildungsfinanzierung zu einer bedeutenden Rahmenbedingung wird.

4. Im Vergleich zu vielen anderen Sparten staatlicher Aufwendungen haben die Bildungsfinanzen insofern einen spezifischen Charakter, als sie nur in geringem Umfang einzelnen Unternehmen zugute kommen. Lediglich beim Schulhausbau, in der Lehr- und Lernmittelindustrie und in ähnlich gelagerten Bereichen läßt sich von seiten privater Kapitale an den Bildungsausgaben des Staates direkt profitieren, indem hier Waren auf kapitalistische Weise produziert werden, die dann der Staat einkauft. Der große Rest jedoch geht als Lehrer- und Dozentengehälter an Individuen, die außerhalb des kapitalistischen Produktionsprozesses stehen. Der darin sich ausdrückende unproduktive Charakter der Lehrertätigkeit ist insofern eine recht banale Grenze der Bildungsfinanzierung, als ja die Zunahme der Lehrertätigkeit und Zunahme der Ausbildungszeit Abzüge von der für das Kapital produktiven Zeit der Arbeitsbevölkerung darstellen.

5. Eine Ausdehnung der Bildungsfinanzen ist jedoch nicht nur unter ihren ökonomischen Konsequenzen zu reflektieren, sondern

auch in ihren Konsequenzen für Bewußtsein und Selbstbewußtsein der Ausgebildeten zu berücksichtigen. Zwar wird im Bildungssystem der Klassencharakter der Gesellschaft in Form der Hierarchie der Schulabschlüsse reproduziert, zwar stellt die Universität zum Teil einen „Parkplatz für die Jugend" dar, zwar kann der Ausbildungssektor gerade auch zur Absorbtion zeitweise Arbeitsloser (wie in den USA) dienen, jedoch verstärkt Bildung, insbesondere wenn sie kritisch auf die gesellschaftlichen Bedingungen bezogen ist, auch die subversive Funktion qualifizierter Individuen gegenüber dem affirmativen Charakter, der vom Bildungssystem ausgeht.

6. In der als notwendig erkannten absoluten und sogar relativen Ausdehnung der Bildungsausgaben in entwickelten kapitalistischen Ländern heute drückt sich nichts anderes aus als die Widersprüchlichkeit der kapitalistischen Produktionsweise. Wenn auch die bisher benannten Grenzen aus dem systemspezifischen Charakter der Bildungsausgaben begründet werden können, ist doch auch die Notwendigkeit, die Bildungsausgaben absolut und relativ auszuweiten, aus den systemspezifischen Entwicklungsbedingungen herzuleiten. Denn infolge der Tatsache, daß die im internationalen Wettbewerb notwendige Produktivitätssteigerung der Wirtschaft (insbesondere der exportwirksamen Bereiche) nur durch Änderungen der Qualifikationsstruktur und das heißt durch permanente Aufwendungen von Bildungsinvestitionen möglich ist, werden der Bildungsfinanzierung Mindestgrenzen gesetzt. Da die kapitalistische Gesellschaft auf Profiterzielung angewiesen ist — und aus diesem Grunde der Bildungsfinanzierung Grenzen setzt —, diese Gesellschaft aber ihre Profiterzielung nicht bewerkstelligen kann ohne Produktivitätssteigerungen, und das heißt ohne daß die Qualifizierung der Individuen vorangetrieben wird, stellt sich im Bildungsbereich der grundlegende Widerspruch zwischen der Notwendigkeit der Entfaltung der Produktivkräfte und den Grenzen der Produktionsverhältnisse als gleichzeitige Notwendigkeit von Ausdehnung und Eingrenzung der Bildungsausgaben dar (wobei die beiden Seiten dieses Widerspruchs von verschiedenen politischen Frak-

tionen, Parteien, Verbänden vertreten werden mögen). Die Lösung dieses Widerspruchs wird dahingehend versucht, zwar die Effekte der Bildungsinvestitionen einzuheimsen, jedoch die dafür aufgewendeten Mittel möglichst zu beschränken. Der Ausbildungsbereich wird damit ökonomischer Zweck-Mittel-Rationalität unterworfen. Dies bedeutet, daß nicht nur die absolute Größe der Bildungsausgaben betrachtet werden darf, sondern deren Struktur und damit deren politische Implikationen zu untersuchen sind. Mit anderen Worten: Nicht nur die absolute Größe der Bildungsfinanzen, nicht nur deren Relation zum Sozialprodukt, zu den übrigen Staatsausgaben, pro Kopf der Bevölkerung usw. zählt, sondern die internen Relationen der Bildungsausgaben sind für uns interessant. Von einem anderen Aspekt her beleuchtet: auf den Bildungsbereich wird in überlegter Weise entsprechend der ökonomisch verstandenen Zweck-Mittel-Rationalität Einfluß genommen, gleichgültig welche pädagogische Bewertung die jeweiligen Ausgabenpositionen erfahren müßten.

7. Bildungsausgaben stellen demzufolge nicht nur bestimmte finanzielle Summen dar, die als solche quantitativ relationiert werden können zu anderen Ausgaben, sondern sie sind Ausgaben mit einem spezifischen, ökonomisch bestimmten Charakter in der kapitalistischen Gesellschaft. Vergleiche mit anderen Ausgaben sind also nur zulässig, wenn diese Ausgaben — man denke an die Rüstung — ebenfalls in ihrem in dieser Gesellschaft ökonomisch bestimmten Charakter reflektiert werden. Einfach und plausibel erscheinende Aufrechnungen nach dem Motto „In der Rüstung sind sie fix, für die Bildung tun sie nix“ sind nicht möglich. Es hieße, die kapitalistische Gesellschaft zu verharmlosen, wenn davon ausgegangen würde, daß ihr Staat souverän genug wäre, einfache Umstellungen seines Budgets abgesehen von den ökonomischen Konsequenzen für das private Kapital vornehmen zu können. Im übrigen sei an dieser Stelle darauf hingewiesen, daß eine schon recht weitgehende Verquickung von traditionellem Bildungs- und Wissenschaftsbereich und militärischem bzw. Rüstungsbereich stattgefunden hat, daß ein Großteil wissenschaftlicher Forschung, auch ein Großteil zumindest der höheren Qua-

lifikation im Rüstungsbereich und nicht mehr im Bildungsbereich stattfindet oder intendiert wird stattzufinden (Bundeswehrhochschulen). Diese Erscheinungen sind aufzugreifen, kritisch zu reflektieren und bewußt zu machen, ohne allerdings über deren Abänderbarkeit innerhalb dieser Gesellschaft Illusionen zu verbreiten.

8. Es sind die Grenzen, in denen sich die staatliche Bildungsfinanzierung bewegt, genannt worden. Was folgt daraus? Zunächst einmal, daß keine volle Autonomie bezüglich der Finanzmasse seitens des Staates vorhanden ist, sondern daß Höhe und Zusammensetzung der Bildungsausgaben ökonomischen Gesetzen gehorchen. Zum anderen, daß in der aufgrund der notwendigen Steigerung der Produktivkraft erfolgenden absoluten Anhebungen der Bildungsfinanzen Möglichkeiten der „Subversion“ existieren. Zum dritten, daß diese Grenzen selbst nicht ökonomistisch „objektiv“ vorgegeben sind und jede Bildungsfinanzierungsänderung eine exakte ökonomische Begründung finden könnte, sondern daß hier gesellschaftliche Macht (der Kampf der Studenten während der Zeit der Studentenrevolte z. B.) Einfluß ausüben kann. Die Thesen wären nicht verstanden, würde daraus ein Fatalismus abgeleitet werden. Im Gegenteil, erst die exakte theoretische Begründung der Möglichkeiten und Grenzen der Bildungsfinanzierung und von daher auch der eigenen Handlungsmöglichkeiten eröffnet den Weg für eine realistische Politik der Einflußnahme auf staatliche Organe, der Einflußnahme allerdings auf der Grundlage einer gesellschaftlichen Kraft. Denn man ist in dieser Gesellschaft immer gezwungen, auch den für das Kapital noch immanent zu verkraftenden Fortschritt ihm kämpferisch aufzuzwingen und abzuringen.

Thesen für die Arbeitsgruppe VIII

Jacob Taubes und Friedrich O. Wolf
Wissenschaftsbegriff und Reform

Wissenschaftler, die in arbeitsteilig vorgehenden wissenschaftlichen Disziplinen und Forschungsgebieten tätig sind, können nicht darauf verzichten, einen Begriff von Wissenschaft zu haben, der es ihnen möglich macht, den Zusammenhang ihrer getrennten Arbeit zu begreifen. Der Verzicht auf einen solchen Begriff von Wissenschaft ist gleichbedeutend mit der Einwilligung in eine bloß ausführende Funktion der Wissenschaftler durch Erbringung isolierter und undurchschaubarer intellektueller Dienstleistungen für die gegenwärtig faktisch über Wissenschaftler verfügenden gesellschaftlichen Instanzen. Selbst eine Kritik an diesen Verfügungen aufgrund ihrer Konsequenzen für den Zusammenhang wissenschaftlicher Erkenntnisse würde damit aus der Wissenschaft tendenziell herausfallen, ganz zu schweigen von einer systematischen Berücksichtigung der gesellschaftlichen Konsequenzen der intellektuellen Dienstleistungen von Wissenschaftlern oder gar einer gründlichen und rücksichtslosen Kritik der über Wissenschaftler Verfügenden selbst. Die Konzeption eines Wissenschaftspluralismus als grundsätzlicher Pluralismus der Wissenschaftsbegriffe, als Unverbindlichkeitserklärung der konkurrierenden Wissenschaftsbegriffe, ist daher entweder zu verstehen als hilflose individualistische Ausweichreaktion gegenüber den Ansprüchen offenbar unwissenschaftlicher Begriffe von Wissenschaft, wie der ‚völkischen' Wissenschaftskonzeption des deutschen Nationalsozialismus, oder aber als mehr oder minder bewußter Versuch der Förderung jener Ausgeliefertheit wissenschaftlicher Spezialtätigkeit an ihre faktischen Auftraggeber zurückzuweisen. Der wissenschaftliche Begriff von Wissenschaft kann den einzelnen, spezialisiert tätigen Wissenschaftlern aber weder von außen, etwa von einer übereinzelwissenschaftlichen Philosophie geliefert werden, die dazu einfach nicht konkret in der Lage ist, ohne sich auf konkretere Zusammenhänge mit bestimmten Wissenschaften einzulassen, noch kann seine Erarbeitung im Zuge einer verantwortungabwälzenden Arbeitsteilung auf eine Spezialdisziplin, etwa im Sinne einer „Wissenschaftswissenschaft", abgewälzt werden: Der konkrete, wissenschaftliche Begriff von Wissenschaft muß sich jeweils aus den konkreten, rückhaltlos betriebenen Analysen der Voraussetzungen und Wirkungszusammenhänge der eigenen Tätigkeit durch die einzelnen Wissenschaftler bestimmen. Das bedeutet auch, daß jeder einzelne Wissenschaftler die politischen Voraussetzungen und institutionellen Konsequenzen einer solchen wissenschaftlichen Selbstdurchdringung des wissenschaftlichen Arbeitsprozesses erkennen und sich für ihre Realisierung und Verteidigung einsetzen muß. Hier können im folgenden nur einige allgemeine Grundstrukturen vorläufig entfaltet werden.

1. *Wissenschaft als gesellschaftliche Tätigkeit zur Erkenntnis der grundlegenden Wirkungszusammenhänge der Wirklichkeit gehört als Nachfolger und Erbe von Aufklärung und Gelehrsamkeit der modernen Gesellschaft seit der „industriellen Revolution" an.* Ein konkreter Begriff von Wissenschaft setzt daher heute eine Bestimmung des gegenwärtigen Entwicklungsstandes der Gesellschaft und des entsprechenden Standes der Entwicklung der Funktionen der Angehörigen der wissenschaftlichen Intelligenz und allgemeiner der Anwendung wissenschaftlicher Erkenntnisse voraus. Schon durch diese Bestimmung muß die in einigen Gruppen von Hochschullehrern grassierende Vorstellung, Wissenschaft als ein Betätigungsprivileg eines bestimmten Standes von Staatsbediensteten — nämlich der Hochschullehrer — zu definieren, als stringent widerlegbar erscheinen. Eine Bestimmung der wirklichen gesellschaftlichen Funktionen von Wissenschaft kann dabei nicht die Abstraktion einer gegenwärtigen Gesellschaft überhaupt zugrunde legen, sondern muß sowohl den grundlegenden internationalen Gegensatz von kapitalistischer und sozialistischer Gesellschaftsform als auch den zwischen imperialistischen und unterentwickelt gehaltenen Ländern zum Ausgangspunkt seiner Analysen machen.

2. *Wissenschaft als arbeitsteiliger Tätigkeitszusammenhang von Wissenschaftlern steht heute in einem weitgehend institutionalisierten Zusammenhang mit professionalisierter Vermittlung, Bereithaltung und Anwendung wissenschaftlicher Ergebnisse und der Ausbildung von Nachwuchsarbeitskräften für wissenschaftliche oder wissenschaftlich angeleitete Tätigkeiten.* Ein konkreter Begriff von Wissenschaft hat daher insbesondere die fungibel machende Ausklammerung des Entwicklungs- und Anwendungszusammenhanges wissenschaftlicher Forschung aus der Gegenstandsbestimmung der Wissenschaften zu überwinden, die sich gegenwärtig in der Unmöglichkeit niederschlägt, innerhalb des Argumentationsrahmens der einzelnen wissenschaftlichen Disziplinen selbst die in die Ausbildung von Fragestellungen und Problemlösungsverfahren eingehenden Vorannahmen und Imperative in ihren konkreten Bestimmungsgründen zu analysieren und zu kritisieren. Zugleich hat er die gesellschaftlichen, keineswegs zufälligen, einschränkenden Bedingungen der wirklichen Anwendung wissenschaftlicher Ergebnisse mitzuberücksichtigen, die selbst auf einer abstrakten Ebene noch vollkommen nach ihren gesellschaftlichen Konsequenzen unbestimmte wissenschaftliche Ergebnisse in ihrem praktischen Anwendungszusammenhang eindeutig im Interesse der über die Anwendung von Wissenschaft faktisch Verfügenden bestimmt.

3. *Die Vermittlung wissenschaftlicher Fragestellungen, Untersuchungsverfahren und Ergebnisse im arbeitsteiligen Ausbildungszusammenhang von Schule, Hochschule und Berufsausbildung ist nicht auf die traditionell als „akademisch“ definierten Teilbereiche des Ausbildungssektors beschränkt.* Die verschiedenen Bereiche des Ausbildungssektors (z. B. „allgemeinbildender“ — „berufsbildender“ Zweig) unterscheiden sich gegenwärtig nicht durch die Tatsache der Vermittlung von Wissenschaft, sondern durch ihre Nichtberücksichtigung oder die verschiedenen Formen der Berücksichtigung ihrer Angewiesenheit auf Wissenschaft. Ein konkreter Begriff von Wissenschaft muß daher heute als Instrument der Analyse des wirklichen gesellschaftlichen Zusammenhanges von Wissenschaft zu Konsequenzen für die

Struktur und inhaltliche Bestimmung der Ausbildung weit über die traditionellen Grenzen der Hochschule und der auf das Hochschulstudium vorbereitenden Einrichtungen führen; das gilt insbesondere für die Bereiche einer spezialisierten wissenschaftlichen Ausbildung für bisher nur über schulische Ausbildungsformen auf Wissenschaft bezogene Berufe (Techniker, Rechtspfleger, Sozialarbeiter usw.) und der Erwachsenenbildung (hier besonders der ergänzenden Ausbildung, der Umschulung und der Studienvorbereitung bereits praktisch qualifizierter Berufstätiger). Auch die traditionellen vertikalen und horizontalen Grenzen innerhalb des gegenwärtigen Hochschulbereichs müssen durch eine konkrete Analyse der wirklichen Gliederung des praktischen Zusammenhanges wissenschaftlicher Berufe aufgehoben werden, wie etwa das Beispiel der über die gegenwärtigen quasiständischen Unterscheidungen hinweg zu integrierenden Lehrerbildung oder der in gesellschaftswissenschaftlichen Grunderkenntnissen und -methoden auszubildenden Mediziner zeigt.

4. *Der Prozeß der Weiterentwicklung der Wissenschaft und der ihrer Vermittlung und individuellen Aneignung können nicht als getrennte Bestimmungen einzelner Personengruppen angesehen werden, denen dementsprechend die den Wissenschaftlern von Geld- und Auftraggebern belassene Verfügungsgewalt als persönliches Privileg zugewiesen werden kann.* Wissenschaftlich anspruchsvoll betriebene, sinnvolle Vermittlung und Aneignung von Wissenschaft ist vielmehr als gewichtiger Beitrag zur Weiterentwicklung von Wissenschaft gerade hinsichtlich ihres spezialitätenübergreifenden Zusammenhangs zu erkennen, wie gerade die Erfahrungen der letzten Jahre hinsichtlich der von der Studentenbewegung entfalteten Wissenschaftskritik lehren. Daher ist sowohl durch den allgemeinen institutionellen Rahmen (gleichberechtigtes Zusammenwirken von Wissenschaftlern, Studierenden und Personal in der Selbstverwaltung der Hochschulen) als auch durch die besonderen institutionellen Voraussetzungen der Ausbildung (Mitbestimmung der Studierenden bei der Berufung von Wissenschaftlern, Aufbau eines entwickelten Tutorenwesens) wie schließlich durch die konkreten Formen des Studiums (z. B.

Kleingruppenarbeit, durchstrukturiertes schriftliches Lehrmaterial zur Faktenbewältigung, Einbeziehung geplanter und kontrolllierter Praktika, Projektstudium) sicherzustellen, daß dieser Beitrag der Vermittlung und individuellen Aneignung spezialisierter wissenschaftlicher Fragestellungen, Verfahren und Ergebnisse zur Weiterentwicklung der Wissenschaft in ihrer kritischen Reflektiertheit und damit konkret gesellschaftlichen Nützlichkeit im arbeitsteiligen Tätigkeitszusammenhang der Wissenschaftler überhaupt zur Geltung gebracht werden kann.

5. *Wissenschaft als gesellschaftlich betriebene Tätigkeit sieht sich heute unmittelbar in die grundlegenden politischen Gegensätze der Gesellschaft hineingestellt, in der sie betrieben wird. Der politischen Disziplinierung progressiver Angehöriger der wissenschaftlichen Intelligenz durch administrative Maßnahmen und publizistische Diffamation steht die Notwendigkeit gegenüber, zur Ermöglichung und zu einer konsequenten Durchführung wissenschaftlicher Forschungs- und Lehrtätigkeit diese gesellschaftliche Tätigkeit als bewußt politisch zu begreifen und zu betreiben.* Ein konkreter Begriff von Wissenschaft muß daher von der in ihm enthaltenen allgemeinen Bestimmung über die Konsequenzen der Analyse des wirklichen Zusammenhangs wissenschaftlicher Tätigkeiten für Organisation und Inhalt von Forschung, Ausbildung und Anwendung zu konkreten Angaben darüber weitergehen, *mit welchen* und *gegen welche gesellschaftlichen Kräfte* diese Konsequenzen gegenwärtig realisiert werden können und welche Form adäquate Realisierungsstrategien unter den herrschenden Bedingungen annehmen müssen. Schon jetzt kann festgehalten werden, daß die Forderungen nach konsequenter Fortführung der wissenschaftskritischen Ansätze der Studentenbewegung und grundsätzlicher Orientierung an den Interessen der bislang als bloßes Objekt wissenschaftlicher Tätigkeit behandelten Arbeiterklasse erste Leitlinien für eine solche bewußte politische Orientierung von Wissenschaftlern enthalten.

Bund demokratischer Wissenschaftler (BdWi)

SATZUNG

§ 1 In dem Bestreben, den demokratischen und sozialen Rechtsstaat zu verwirklichen, stellt sich der Bund demokratischer Wissenschaftler folgende Aufgaben:

1) Das Eintreten für eine ihrer gesellschaftlichen Verantwortung bewußte Wissenschaft, für Erweiterung der Formen von Öffentlichkeit, von Mit- und Selbstbestimmung und gegen antidemokratische Tendenzen in Hochschule, Bildungswesen, Gesellschaft, Wirtschaft und Staat;
2) Schutz wissenschaftlich Tätiger gegenüber ungerechtfertigten Maßnahmen;
3) Förderung der demokratischen Mitwirkung aller Mitglieder der Hochschule in der Selbstverwaltung von Forschung und Lehre;
4) Zusammenwirken mit gleichgerichteten Kräften an Hochschulen anderer Länder.

§ 2 Der Verein verfolgt ausschließlich gemeinnützige Zwecke. Seine Einnahmen sind ausschließlich zur Erfüllung der in § 1 bezeichneten Aufgaben zu verwenden.

§ 3 Die Mitgliedschaft kann von Hochschullehrern, wissenschaftlichen Mitarbeitern sowie außerhalb der Hochschule wissenschaftlich tätigen Personen durch Anmeldung beim Sekretär des Bundes erworben werden.

§ 4 Den Mitgliedern wird empfohlen, örtliche Mitgliedersektionen sowie Arbeitsgemeinschaften mit nicht dem Bund angehörenden Personen zu bilden. Beide werden in ihrem Bereich selbständig tätig.

§ 5 Die Organe des Vereins sind
1) die Mitgliederversammlung
2) der Vorstand

§ 6 Die Mitgliederversammlung wird mindestens einmal im Jahr durch den Vorstand unter Mitteilung einer Tagesordnung mindestens 6 Wochen zuvor schriftlich einberufen. Eine Versammlung ist vom Vorstand außerdem einzuberufen, wenn mindestens 20 Mitglieder unter Vorlage einer Tagesordnung es verlangen. Bei Abstimmung und Wahlen verfügt jedes Mitglied über eine Stimme.

Der Beschlußfassung unterliegen vor allem:
1) die Genehmigung und Änderung der Satzung,
2) Entscheidungen in wichtigen Fragen der Vereinstätigkeit,
3) die Wahl (und unter Umständen eine Abberufung) des Vorstandes,

4) die Wahl von Kassenprüfern,
5) die Festsetzung des Mitgliederbeitrages,
6) die Genehmigung des Geschäftsberichtes und die Entlastung des Vorstandes,
7) die Auflösung des Vereins.

Falls erforderlich, kann der Vorstand Beschlüsse auf schriftlichem Wege herbeiführen.

Jede ordnungsgemäß einberufene Mitgliederversammlung ist unabhängig von der Zahl der erschienenen Mitglieder beschlußfähig. Für die Beschlüsse gilt einfache Stimmenmehrheit, soweit die Satzung nichts anderes vorschreibt.

§ 7 Der Vorstand besteht aus 13 Mitgliedern. Er wird durch die Mitgliederversammlung für die Dauer eines Jahres in geheimer Wahl gewählt. Wiederwahl ist möglich. Jedes seiner Mitglieder sowie der Vorstand als ganzer kann durch eine Mitgliederversammlung, an der mindestens 20 Mitglieder teilnehmen, in geheimer Abstimmung durch die Mehrheit der Erschienenen vor Ablauf seiner Geschäftszeit abberufen werden.

Ein aus drei Personen bestehender engerer Vorstand und ein Geschäftsführer werden in gesonderten Wahlgängen vorweg gewählt, wobei der engere Vorstand aus einem einzigen Wahlgang hervorgeht. Die übrigen Vorstandsmitglieder gehen aus einem einzigen Wahlgang hervor, bei dem die Reihenfolge der Stimmen maßgeblich ist. Bei Stimmengleichheit kann durch Stichwahl oder durch das Los entschieden werden.

Der Vorstand besorgt die laufenden Geschäfte im Sinne des Vereinszweckes und der Beschlüsse der Mitgliederversammlung. Er gibt zu den in den Vereinszweck fallenden Fragen von überörtlicher Bedeutung oder in solchen, die über örtliche Vereinigungen (§ 4) an ihn herangetragen werden, dem Willen des Vereins Ausdruck. Bei wichtigen Fragen, die nicht eine sofortige Entscheidung verlangen, soll der Vorstand die Mitglieder befragen. Der Vorstand gibt ein Informationsblatt heraus.

§ 8 Die Vorstandsbesprechungen sind den Mitgliedern zugänglich. Der Vorstand kann Mitglieder und Dritte beratend zuziehen.

Vorstandsbeschlüsse sowie Beschlüsse der Mitgliederversammlung sind schriftlich niederzulegen und von dem jeweiligen Versammlungsleiter und dem Protokollführer der Sitzung zu unterzeichnen.

§ 9 Ein Austritt aus dem Verein kann jederzeit erfolgen. Er berührt nicht die Beitragspflicht für das laufende Kalenderjahr. Hat ein Mitglied dem Vereinszweck in ernster Weise zuwidergehandelt oder dem Verein in anderer Weise schweren Abbruch getan, so kann es durch eine Mitgliederversammlung mit einer Mehrheit von zwei Dritteln ausgeschlossen werden.

§ 10 Der Verein finanziert sich aus Mitgliedsbeiträgen und Spenden. Der monatliche Mindestbeitrag beträgt für Mitglieder mit einem Einkommen unter BAT II A 3,– DM, ab BAT II A 6,– DM. Der Beitrag ist zu Beginn des Monats, spätestens nach Zahlungsaufforderung zu entrichten. Ist ein Mitglied mit mehr als einem Jahresbeitrag rückständig, so ist der Vorstand nach erfolgloser Mahnung zur Streichung des Namens aus der Mitgliederliste berechtigt.

Der Vorstand ist befugt, notfalls durch Umlage bis zur Höhe des Jahresbeitrags von den Mitgliedern einmal jährlich Mittel zu erheben, die zur Deckung der in der ordnungsmäßigen Erfüllung der Vereinsaufgaben entstandenen Verpflichtungen erforderlich sind.

§ 11 Änderungen dieser Satzung werden von der Mitgliederversammlung mit einfacher Mehrheit der erschienenen Mitglieder beschlossen. Ein Antrag auf Satzungsänderung ist dem Vorstand spätestens 3 Wochen vor Zusammentritt der Mitgliederversammlung einzureichen und allen Mitgliedern mindestens 8 Tage vor der Versammlung bekanntzugeben.

§ 12 Ein Auflösungsbeschluß erfordert eine Zweidrittel-Mehrheit der Mitgliederversammlung. Bei Auflösung ist das Vermögen des Vereins nach Abdeckung aller Verbindlichkeiten einem gemeinnützigen Verein zu überweisen, der ähnliche Zwecke verfolgt. Eine Ausschüttung des Vermögens an Mitglieder erfolgt nicht.

(Von der Mitgliederversammlung am 2. 7. 72 beschlossene Fassung der Satzung von 1969)

Bund demokratischer Wissenschaftler, Geschäftsstelle: 355 Marburg, Postfach 1162, Tel. 06421/21395

Aufruf zu Kongreß und Mitgliederversammlung des Bundes demokratischer Wissenschaftler am 1./2. Juli 1972 in Marburg

Die dringend erforderliche Reform der Hochschule wird blockiert. Hoffnungsvolle Ansätze in einigen Bundesländern drohen wieder zerstört zu werden. Konservative und Reaktionäre, denen es ausschließlich um Privilegien geht, haben sich im Bund Freiheit der Wissenschaft organisiert, der jeden Schritt in Richtung auf mehr Demokratie mit allen Mitteln zu verhindern trachtet.
Diese mit Geldmitteln wohlversorgte pressure-group betreibt mit Unterstützung rechter Pressekonzerne eine groß aufgezogene Propaganda, die von restaurativen Kräften in Wirtschaft, Parteien und Staat gefördert wird. Unter dem Schein der Verteidigung der „Freiheit der Wissenschaft" und der verfassungsmäßigen Ordnung werden in Wahrheit die Freiheit der Wissenschaft immer stärker eingeengt und die verfassungsmäßige Ordnung ausgehöhlt. Was als Maßnahme gegen sogenannte Radikale ausgegeben wird, zielt tatsächlich auf alle, die unbequeme wissenschaftliche Positionen vertreten. Reformwillige, progressive Wissenschaftler werden in ihrer Laufbahn behindert, als Verfassungsfeinde diffamiert und mit Berufsverbot bedroht. Die verfassungsmäßig garantierten Grundrechte fortschrittlicher Lehrer, Journalisten und Lektoren sind bereits jetzt in größter Gefahr.
Der wachsende Druck von rechts zeigt sich auch in anderen gesellschaftlichen Bereichen: in der Agitation gegen eine Politik der Entspannung und Verständigung gegenüber den sozialistischen Staaten und in der Polemik gegen die gewerkschaftlichen Forderungen nach Mitbestimmung der Arbeiter und Angestellten in der Wirtschaft.
In dieser Lage müssen sich alle Wissenschaftler zusammenschließen, denen es wirklich um Demokratie geht. Emanzipation, Selbstbestimmung und Humanität sollen in Lehrformen und Lehrinhalten, in Fragestellungen und Zielen, in Organisation und Verbreitung von Wissenschaft ihren Ausdruck finden. Dabei muß der Auftrag des Grundgesetzes, einen demokratischen und sozialen Rechtsstaat zu schaffen, Leitlinie der politischen Praxis sein. Dieser Auftrag kann nur im Bündnis mit anderen demokratischen Organisationen, vor allem den Gewerkschaften, verwirklicht werden.
Alle Wissenschaftler, die unsere Beurteilung der Lage grundsätzlich teilen und mit unseren Zielen übereinstimmen, fordern wir zur Mitarbeit auf. Kongreß und Mitgliederversammlung finden am 1./2. Juli 1972 in der Universität Marburg statt. Beginn 11.30 Uhr im Hörsaalgebäude, Biegenstraße 10.
Im Unterschied zum Bund Freiheit der Wissenschaft kann der Bund demokratischer Wissenschaftler nicht mit der Hilfe der ökonomisch Mächtigen rechnen. Wir bitten daher um Spenden auf das Konto: Herbert Claas, Marburg, PSK Nr. 157145, PSchA Frankfurt/Main.

Prof. Dr. W. Abendroth, Marburg; Hans Aberle, Kammermusiker, Hemsbach; Prof. Dr. Johannes Agnoli, Berlin; Detlev Albers, Polit.Wiss., Hamburg; Jürgen Alberts, Journalist, Tübingen; Herbert Albrecht, Architekt,

Bremen; Richard Albrecht, Lehrer, Mannheim; Prof. Dr. W. Alff, Braunschweig; Detlef Alke, Biochemiker, Speyer; Axel Althaus, Dipl.Soz., Oberstedten; Prof. Dr. E. Altvater, Berlin; Ursula Apitsch, Wiss.Ass., Frankfurt; H. Arenz, Berlin; Gerhard Armanski, Dipl.Pol., Berlin; Dr. Manfred Arndt, Wiss.Ass., Marburg; Dr. Dieter Arnold, Berlin; J. Arnold, Kassel; Prof. Dr. L. Arnold, Bremen; Dr. Hans-Gert Artus, Hamburg; Dr. Ansa Asamaa, Wiss.Ass., Heidelberg; Asta der Universität Karlsruhe, Karlsruhe; D. Axmacher, Dipl.Pol., Berlin;

Christa Backfisch, Lehrerin, Heidelberg; Klaus Backhaus, Wiss.Ass., Bochum; Dr. Martin Baethge, Göttingen; Volker Bahl, Wiss. Angest., Berlin; Prof. Dr. Hans-Eckehard Bahr, Bochum-Querenburg; Dr. Hans-Dieter Bahr, Berlin; Friedrich-Martin Balzer, Studienrat, Marburg; Harald Bammel, Wiss. Mitarbeiter, Pohlheim; Dr. M. Bangemann, MdB, Metzingen; Dr. D. Bänsch, Marburg; Ulrich Bansdorff, Wiss.Ass., Kiel; Prof. Dr. W. Barner, Tübingen; Kreszentia Barth, Wiss.Ass., Tübingen; Prof. Dr. H.-W. Bartsch, Lich; Bauer, Lehrer, Berlin; Georg Bauer, Dipl.Ing., Hersbruck; Dr. R. Bauer, Bremen; M. Baumgartner, Berlin; Marlies Bauss, Lehrerin, Marburg; Dr. G. Beck, Gießen; Prof. Dr. H.-K. Beckmann, Kassel; Prof. Dr. M. Behrendt, Lüneburg; Dr. Hans-Jürgen Benedict, Wiss.Ass., Bochum; Karl Berchtold, Archivar, Heidelberg; Christoph Berg, Rechtsanwalt, Eltville; Michel Berger, Dipl.Ing., Berlin; Christa Bergmann, Pädag. Mitarbeiterin, Pohlheim; Dr. Klaus Bergmann, Pohlheim; Ute Bergmann, Sekretärin, Berlin; Prof. Dr. U. Bermbach, Hamburg; Ulrich Bernath, Dipl.Ökonom, Gießen; Dr. Jürgen Bernhardt, Erlangen; Walter Bernsdorff, Oberstudienrat, Marburg; Juergen Bers, Dipl.Ing., Berlin; H. Bethge, Hamburg; Volker Bethge, Pfarrer, Konstanz; Dr. Wolfgang Beutin, Norderstedt; Prof. Dr. K. Beutler, Hannover; Karl Bickel, Lehrer, Waiblingen; Lutz Bieg, Wiss. Ass., Heidelberg; Dr. A. C. Bimmer, Marburg; B. Bischoff, Wiss.Ass., Berlin; D. Bischoff, Berlin; Gisela Bischoff, Sozialpädagogin, Frankfurt; Prof. Dr. R. Bislich, Bremen; B. Blanke, Berlin; Prof. Dr. Ernst Bloch, Tübingen; Gunter Blümel, Wiss. Mitarb., Gießen; Prof. Dr. H. M. Bock, Kassel; Jan Bock, Wiss. Mitarb., Gießen; Dr. Dietrich Böhler, Saarbrücken; Bernhard Bohl, Ing.(grad.), Darmstadt; Dr. Dorothee Böhmer, Referentin, Bonn-Bad Godesberg; Herbert Bohnstedt, Ob.Ing., Karlsruhe-West; G. Bölke, Berlin; Bolten, Roetge; Waltraud Bolz, Dipl.Psych., Hamburg; Dr. F. Bomhard, Rummelsberg; Dr. D. Boris, Marburg; Borkmann, Lehrer, Berlin; Manfred Bosch, Schriftsteller, München; Dr. Hans Bosse, Neckargemünd; Dr. med. H. G. Bosse, Gießen; H. Böttiger, Frömern; Klaus Bothe, Dipl.Soz., Mannheim; Elmar Brähler, Dipl.Math., Gießen; Heinz Brandt, Redakteur, Frankfurt; M. Brater, München; Frank-Michael Braun, Wiss. Mitarb., Berlin; Prof. Dr. H. Braun, Mainz; Jakob Braun, Dozent, Germering; Prof. Dr. A.-E. Brauneck, Gießen; J. Brauner, Gießen; Manfred Braunroth, Wiss. Mitarb., Gießen; Joachim Brech, Wiss.Ass., München; Dr. W. von Bredow, Köln; Nicolaus Brehmer, Wiss.Ass., Clausthal; Dr. med. Winrich Breipohl, Bochum; Dr. med. Karl Bremer, Neu-Ulm; Dr. med. Hans Brender, Krefeld; K. Brennecke, Berlin; Prof. Dr. M. von Brentano, Berlin; Dr. W. Breuer, Köln; Volker Briese, Wiss. Ang., Konstanz; Prof. Dr. E. Brieskorn, Göttingen; Prof. Dr. Reinhold Brinkmann, Marburg; Dr. Bernhard vom Brocke, Marburg; Günter R. Bröhl, Redakteur, Monheim; P. Brummenbaum, Med.Ass., Berlin; Peter Bubenberger, Redakteur, Köln; Dr. I. Buchholz, Vinnhorst; Dr. K. Buchholz, Dipl.Chem., Frankfurt; G. Bühler, Wiesbaden; I. Bühler, Wiesbaden; Kurt Bunke, Kiel; Prof. Dr. P. Bürger, Bremen; Horst Burgemeister, Lehrer, Holthusen; K. Busch, Berlin; Klaus Busch, Dipl.Pol., Berlin;

Dr. Rolf-Peter Carl, Akad.Rat, Köln; H. Claas, Marburg; Peter Clever, Wiss.Ass., Großen-Linden; Dr. Klaus Cölln, Köln; Herbert Colla, Wiss.

Ass., Tübingen; Hartmut Collmann, Wiss.Ass., Berlin; Prof. Dr. C. Colpe, Berlin; Christoph Conrad, Dipl.Vw., Berlin; Dr. Diethelm Conrad, Wehrshausen; Dr. Frank Crüsemann, Wiss.Ass., Heidelberg; Prof. Dr. G. Curdec, Aachen; Dr. M. Curtius, Marburg;

Prof. Dr. K. Dammann, Marburg; D. D. Danckwerts, Hamburg; Dr. K. H. Darenberg, Marburg; Prof. Dr. W. Däubler, Tübingen; R. Daube, Berlin; U. Degen, Berlin; Dr. F. J. Degenhardt, Quickborn; Dr. L. Dellit, Marburg; Dr. F. Deppe, Marburg; Dr. H. U. Deppe, Marburg; Jörg Deuß, Wiss.Ass., Wentorf; Deutsche Jungdemokraten, Landesverband Hessen, Frankfurt; Deutsche Liga für Menschenrechte, München; Prof. Dr. Walter Dieckmann, Berlin; Werner Diederich, Wiss.Ass., Heidelberg; Dr. Alex Diehl, Redakteur, Hamburg; Prof. Dr. Joachim Dikau, Berlin; Günter Dill, Wiss. Hilfskraft, Offenbach; Prof. Dr. W. Dittmann, Berlin; Marliese Dobberthien, Hamburg; Prof. Dr. K. Doderer, Darmstadt; Bernd Doerfel, Wiss.Ass., Dortmund; Michael Dohle, Wiss.Ass., Aachen; Prof. Dr. H. D. Dombromwski, Bremen; Christine Dominik, Lehrerin, Bochum; Wolfgang Dominik, Studienreferendar, Bochum; U. Dörger, Frankfurt/M.; Dr. Hans-Joachim Dörger, Wiss.Ass., Frankfurt; Horst Döring, Sozialarbeiter, Berlin; Arno Dörrscheidt, Wiss.Ass., Berlin; Alfred Dreckmann, Lehrer, Hamburg; Prof. Dr. A. Dress, Bielefeld; Dr. Jörg Drews, München; Dr. H. R. Dreykluft, Berlin; Rolf von den Driesch, Berlin; Andreas Drinkuth, Tutor, Berlin; F. Duigel, Berlin;

Prof. Dr. F. Eberhard, Berlin; Hans Ebert, Wiss.Ass., Berlin; Dr. Rolf Eckart, München; Dr. Herbert Edelmann, Wiss.Ass., Köln; Dr. Ekkehard Eggs, Berlin; Dr. Walter Eiardt, Essen; Gert Eichler, Wiss.Ass., Berlin; K. E. Eiermann, Gießen; Dr. Rainer Eisfeld, Frankfurt; D. Eißel, Pohlheim; Albrecht Elsasser, Wiss. Angest., Marburg; Helmut Elsner, Wiss.Ass., Münster; Juan-Francisco Elvira-Hernandez, Lektor, Köln; Una Elwitz, Dipl. Soz., Berlin; Prof. Dr. W. Emmerich, Bremen; Günter Essers, Aachen; Carl-Heinz Evers, Berlin;

Rainer Fabian, Wiss.Ass., Vechta; Prof. Dr. Walter Fabian, Köln; Prof. Dr. G. Fehl, Aachen; G. Fieseler, Kassel; Hartmut Finkenbrink, Lektor, Heidelberg; Eva Fischer, Sekretärin, Berlin; H. Fischer, Berlin; Prof. K. G. Fischer, Reiskirchen; Prof. Dr. O. K. Flechtheim, Berlin; Matthias Femm, Wiss.Ass., Münster; Dr. J. Forsche, Münster; Jörg Forssmann, Dipl.Ing., München; Prof. Dr. Hans Förtsch, Berlin; Winfried Franzen, Wiss.Ass., Gießen; Stephan Freiger, Fachhochschullehrer, Kassel; Prof. Dr. Gerda Freise, Heidelberg; Ulrich Freund, Fachhochschullehrer, Kassel; Hagen von Freyberg, Arzt, Hemmingen; Dr. Ingrid von Freyberg, Arzt, Hemmingen; J. von Freyberg, Marburg; Dr. Axel Friede, Wiss.Ass., Hamburg; Dr. H. Friedrich, Göttingen; Volker Friedrich, Arzt, Hamburg; J. Frisius, Berlin; Klaus Fritzsche, Wiss. Angest., Edingen; Dr. Anne Fromann, Akad.Rat., Gomaringen; Dr. G. Fülberth, Marburg; Prof. Dr. med. G. Fülgraff, Aachen; Albrecht Funk, Dipl.Pol., Berlin; Bruno Funk, Referent, Mainz; Hajo Funke, Dipl.Pol., Berlin; Jürgen Funke, Wiss.Ass., Berlin; Prof. Dr. W. Fürst, Friedberg; Prof. Dr. Peter Fürstenau, Gießen;

Bärbel Gafert, Dipl.Pol., Berlin; Dr. Helga Gallas, Berlin; O. Galm, Frankfurt/M.; Ch. Galm-Gräfe, Frankfurt/M.; Dr. med. Volker Gäng, Würzburg; Dr. phil. Klaus Garber, Göttingen; A. Garbiolo, Konstanz; Prof. Dr. Robert Gasch, Berlin; Dr. Benno Gassmann, Berlin; Prof. Dr. I. Geiss, Hamburg; Dr. L. George, Krofdorf; Prof. Dr. Kurt Gerhardt, Freiburg; E. Gerken, Marburg; Peter Gerlach, Wiss.Ass., Köln; Dr. Heide Gerstenberger, Göttingen; Dr. C. F. Gethmann, Bochum; Dr. Gottfried Giese, Fachhochschullehrer, Bad Salzuflen; Herbert Giese, Pfarrer, Albbruck; Dr. G.

Giesenfeld, Marburg; Gert-Joachim Glaeßner, Dipl.Pol., Berlin; Ursula Glaeßner, Stud.Pol., Berlin; Christian Glass, Wiss.Ass., Göttingen; Prof. Dr. W. Gleissberg, Frankfurt/M.; Dr. Gerhard Glück, Wiss.Ass., Tübingen; Prof. Dr. G. Goebel, Berlin; Dr. Herma Goeppert, Wiss.Ass., Krofdorf-Gleiberg; B. Goferd, Berlin; Werner Goldschmidt, Dipl.Soz., Hamburg; Prof. Dr. H. Gollwitzer, Berlin; Prof. Dr. A. Görner, Berlin; Albrecht Göschel, Architekt, München; Dr. Rainer Götz, Ass., Heidelberg; Dr. Joachim Goth, Tübingen; Prof. Dr. W. Gottschalch, Bremen; Jürgen Gradow, Lehrer, Berlin; Dr. med. S. Granitzka, Frankfurt; Volker Gransow, Dipl.Pol., Berlin; Dr. Ch. Gremmels, Marburg; Dr. R. Grimminger, München; Klaus R. Gruber, Sozialarbeiter, Darmstadt; Ilse Grumm, Dozentin, Hamburg; M. von der Grün, Dortmund; Prof. Dr. Wilhard Grünewald, Mutlangen; Volker Gruner, Arzt, Berlin; Dr. Grüttner, Wiss.Ass., Köln; Dr. Tilo Grüttner, Köln; K. Gülden, Kassel; W. Güntherroth, Frankfurt/M.; Prof. Dr. M. Guther, Darmstadt; Dr. Ute Guzzoni, Freiburg;

H. P. Habenstein, Wiss.Ass., München; Prof. Dr. Jürgen Habermas, Starnberg; Dr. A. Hacker, Erlangen; Dr. D. Haensch, Berlin; Prof. Dr. F. Hahn, Gießen; Prof. Dr. M. Hahn, Bremen; Stefan Hahne, Dipl.Chem., Karlsruhe; Hans-Dieter Haller, Wiss.Oberrat, Hamburg; B. Hamprecht, Berlin; F. Hanefeld, Berlin; G. Hanel, Frankfurt; Christoph Hardmeier, Wiss.Ass., Hohensachsen; Ursula Hardmeier, Wiss. Mitarbeiterin, Hohensachsen; J. Harrer, Marburg; Dr. Dietrich Harth, Wiss.Ass., Möhrendorf; Dr. Helene Harth, Wiss.Ass., Möhrendorf; A. Hartle, München; Albrecht Hatzius, Wiss. Angest., Dossenheim; Dr. Gerhard Hauck, Wiss.Ass., Landau; Dr. W. F. Haug, Berlin; Heiko Haumann, Wiss. Angest., Roßdorf; Armin Hebel, Wiss. Hilfskraft, Marburg; Wolfgang Hecker, Wiss. Hilfskraft, Marburg; Gerhard Heesen, Gesamtschullehrer, Leverkusen; Rainer Hehrmann, Wiss.Ass., Hamburg; Dr. B. Heidtmann, Berlin; Joachim Heilmann, Rechtsanwalt, Großen-Linden; S. Heimann, Berlin; D. Heimig, Techniker, Leer; Prof. Dr. H. Heinemann, Lüneburg; M. Heinemann-Knoch, München; Prof. Dr. H. Matthias Heinrichs, Berlin; Jürgen Heinrichs, Philosoph, Hamburg; Volker Heinz, Gerichtsreferendar, Berlin; Dr. Norbert Heinze, Wiss.Ass., Köln; Prof. Dr. K. Heipche, Kassel; Günther Heipp, Pfarrer, Rieschweiler; Dr. J. H. von Heiseler, Frankfurt/M.; Helmut Heitmann, Ing.grad., Karlsruhe; Dr. F. Heller, Bremen; Ekkehard Helmig, Journalist, Heidelberg; Uwe Helmke, Oberstudienrat, Bremen; Eike Hennig, Wiss. Mitarbeiter, Schwalbach; Ute Hennige, Dipl.Psych., Frankfurt; Hans-Peter Herbst, Journalist, Hamburg; Georg Herde, Journalist, Frankfurt/M.; Prof. Dr. S. Herkommer, Berlin; Dr. Ingrid Herlyn, Dozentin, Göttingen; Dr. Ulfert Herlyn, Wiss.Ass., Göttingen; Hans Hermsen, Wiss. Hilfskraft, Bad Honnef; Prof. Dr. H.-G. Herrlitz, Göttingen; Alfred Herrmann, Asta-Vorsitzender a. d. PH Bremen; E. Hertel, Bayreuth; Otto Herz, Bielefeld; Friedrich-Wolfram Heubach, Dipl.Psych., Köln; Prof. Dr. Heinz-Joachim Heydorn, Frankfurt; Rudolf Hickel, Hochschullehrer, Bremen; Eckard Hildebrandt, Wiss.Ass., Berlin; R. Hildebrandt, Berlin; R. Hilke, Nürnberg; Prof. Dr. W. Hilligen, Gießen; Dr. Rolf Hinder, Verleger, Bellnhausen; Dr. Berthold Hinz, Wiss.Ass., Frankfurt; Prof. Dr. J. Hirsch, Neu-Isenburg; Wilfried Höbel, Dipl.Math., Großen-Linden; Reinhard Hoch, DPG-OV-Vorsitzender, Münchberg; Dirk Hoerder, Wiss.Ass., Berlin; Dr. B. H. Hoffmann, Hamburg; Jürgen Hoffmann, Dipl.Pol., Berlin; Dr. P. Hoffmann, Leverkusen; Dr. Gerd Hofmann, Hamburg; Dr. Jürgen Hofmann, Berlin; Tilmann N. Höhle, Köln; Höllger, OStR, Bad Hersfeld; Prof. Dr. H. Holländer, Aachen; Brigitte Holz, Apothekerin, Männedorf; Dr. H. H. Holz, Marburg; Prof. Dr. H. Holzer, München; Prof. Dr. K. Holzkamp, Berlin; Dr. Th. Höpner, Heidelberg; K. Horn, Frankfurt/M.; K. Horneffer, Bremen; Johannes Horstmann, Bottrop; Dr. B. Hövener, Berlin; U. Huttenlocher, Berlin; Werner Hübner, Redakteur, Rodenkirchen; M. Hülsewede, Heiligenhaus; Prof. Dr. H. Hülsmann, Sprakel; Kristian Hungar, Ak.Rat, Heidelberg; Ernst Ulrich Husten, Wiss. Mitarbeiter, Gießen;

Prof. Dr. H. Ibbeken, Berlin; Dr. Klaus Inderthal, Wiss.Ass., Gießen; Holger Ipsen, Dipl.Volkswirt, Leinfelden;

Prof. Dr. U. Jaeggi, Bochum; Prof. Dr. U. Jaeschke, Duisburg; Dr. H.-W. Jäger, München; Wolfgang Jantzen, Dipl.Psych., Marburg; Claus Jaurich, Dipl.Psych., Kiel; Volker Jentsch, Dipl.Phys., Linden; Dr. I. Jens, Tübingen; Prof. Dr. W. Jens, Tübingen; Christoph Jetter, Gerichtsassessor, Reutlingen; E.-M., Jobst, Marburg; Prof. Dr. Baber Johansen, Berlin; W. Jorcke, Studienrat, Berlin; Karlheinz Jüngling, Dipl.Phys., Regensburg; Dr. H. Jung, Frankfurt/M.; Helmut Jungermann, Dipl.Psych., Frankfurt/M.; Gerd Junne, Wiss. Mitarb., Berlin; Ulrich Jürgens, Dipl.Pol., Berlin;

Prof. Dr. Johannes Kaán, Karlsruhe; Dr. G. Kaczmarczyk, Berlin; Prof. Dr. G. Kade, Darmstadt; Niels Kadritzke, Wiss.Ass., Berlin; Ulf Kadritzke, Wiss.Ass., Berlin; Gerhard Kafitz, Dipl.Psych., Frankfurt/M.; Dr. J. Kahl, Frankfurt/M.; Dr. med Winfried Kahlke, Walldorf/Boden; Dr. E. Kail, Braunschweig; Dr. med. Götz Kaiser, Frankfurt/M.; Dr. Peter M. Kaiser, Marburg; Angelika Kaiser-Berghofer, Schülerin, Frankfurt/M.; Dr. Klaus Kamberger, Verlagslektor, Frankfurt; J. Kammler, Altenvers; Manfred von Kampen, Student, Vechta; Heinz Karl, Dipl.Psych., Gießen; Peter Karsten, Lehrer, Senne I; Dr. Georg Kärtner, Wiss. Angest., Dachau; Dr. Dieter Kartschoke, Berlin; Prof. Dr. Erika Kartschoke, Berlin; Hans Kastendiek, Wiss.Ass., Berlin; Prof. Dr. Konrad Katzke, Berlin; Wolfgang Kaupen, Dozent, Köln; Heidrun Kaupen-Haas, Wiss. Angest., Köln; Dr. J. Kegel, Berlin; H. Keitel, Frankfurt/M.; Dr. Ulrich Kemper, Bochum; Dr. Harald Kerber, Göttingen; Prof. Dr. Horst Kern, Hannover; Kerssenfischer, Wiss.Ass., Berlin; Prof. Dr. G. Keseling, Marburg; Dr. Heinrich Keupp, München; Prof. Dr. Günther Keusen, Münster; Dr. G. Kiefer, Berlin; Renate Kiel, Techn.Ass., Speyer; D. M. Kiesewetter, Berlin; Dr. Dieter Kimpel, München; Prof. Dr. K. P. Kisker, Berlin; Prof. Dr. W. Klafki, Marburg; Gerhard Klane, Lehrer, Wilhelmshaven; Dr. Hartmut Klatt, Redakteur, Stuttgart; Herbert Klein, Werne; Barbara Klemm, Sekretärin, Berlin; Prof. Dr. H. von Klöden, Hannover; Prof. Dr. A. Klönne, Bielefeld; Dr. H. Klusacek, Köln; Dr. med. Brigitte Kluthe, Langen; Dr. Erwin Knauß, Fachhochschullehrer, Gießen; Maren Knebel, Wiss. Hilfskraft, Hamburg; Prof. Dr. Friedrich Knilli, Berlin; P. Knoch München; Helmut Knolle, Ass., Bochum; Gerd Koch, Wiss. Angest., Hamburg; I. Koch, Berlin; Dr. Jens Jörg Koch, Dipl.Psychologe, Konstanz; Dr. L. Koch, Wiss.Ass., Köln; Prof. Dr. Walter Koch, München; W. von Koerber, Unna; Dr. E. Köhler, Konstanz; Gerd Kohlschein, Dipl.Volkswirt, Köln; Wolfgang Körner, Physiker, Bremen; Dr. med. Klaus-Dieter Kolenda, Kronshagen; Prof. Dr. Gernot Koneffke, Braunschweig; Hartmut Konow, Wiss.Ass., Hannover; Prof. Dr. W. Kosse, Münster; Manfred Kötterheinrich, Wiss. Mitarb., Berlin; G. Kracker, Gießen; Klaus Krahne, Journalist, Opladen; Dr. W. Kralewski, Tübingen; Dieter Kramer, Wiss. Angest., Marburg; Michael Kraus, Dipl.Ing., Berlin; Dr. O. Krause, Flensburg; Dr. med. Henner Krauss, Würzburg; Joachim Krausse, Lehrbeauftragter, Berlin; Prof. Dr. Peter Krausser, Berlin; Joachim Krebs, Dipl.Biochemiker, Tübingen; Prof. D. Kreck, Bonn; Dr. H. Krecker, München; Prof. Dr. H. [illegible], Moers; Dr. Wolfgang Kreutzberger, Wiss.Ass., Erlangen; Gertrude Kreutzmann, Dipl.Volksw., Kiel; Prof. Dr. Klaus Krickeberg, Bielefeld; H. Kröger, Berlin; Hartmut Kroll, Wiss.Ass., Berlin; B. Kroneberg, Marburg; Franz R. Krueger, Dipl.Physiker, Wixhausen; Peter Krug, Dipl. Sozialwirt, Göttingen; Eggert Kruse, Wiss.Ass., Hamburg; I. Krutz-Ahlring,

Kassel; Prof. Dr. H. J. Krysmanski, Münster; Ludolf Kuchenbuch, Wiss. Ass. Berlin; Hagen Kühn, Dipl.Volkswirt, Berlin; J. Kühn, Unna; Prof. Dr. R. Kühnl, Marburg; Jochen Kuhnen, Wiss.Ass., Essen; Rainer Künzel, Wiss.Ass., Berlin; Dr. med. Jürgen Kult, Würzburg; S. Kundera, München; Fritz Kunle, Studienreferendar, Freistett; Andreas Kunze, Wiss. Mitarb., Frankfurt/M.; Jan D. Kurtemann, Wiss. Hilfskraft, Gießen; I. Kurz, Hamburg;

Dr. Klaus Laermann, Berlin; Siegfried Lang, Ak.Rat, Braunschweig; Siegfried Lang, Studienrat, Hanau; Dr. B.-P. Lange, Berlin; Hellmuth Lange, Wiss. Angest., Marburg; Dr. I. Langer-El Sayed, Darmstadt; Prof. Dr. H. Langerhans, Gießen; Dr. B. Latta, Marburg; Prof. Dr. D. Laugwitz, Nieder-Ramstadt; Prof. Dr. R. Lautmann, Bremen; H. Lederer, Düsseldorf; Dr. med. H. Legewie, Wiss.Ass., München; Wolf-Dieter Lehmann, Dipl.Chem., Bonn; Dieter Lehmkuhl, Arzt, Berlin; Dr. Erwin Leibfried, Igel; Dr. med. Björn Lemmer, Frankfurt/M.; Prof. Dr. W. Lempert, Berlin; Dr. V. Lengerke, Berlin; Gero Lenhardt, Wiss. Mitarbeiter, Berlin; Dr. Th. Lennert, Berlin; Achim Leschinsky, Ass., Hamburg; Karl Lesshafft, Wiss.Ass., Berlin; S. von Levetzow, Heidelberg; Prof. Dr. Heinz Liebing, Witten-Heven; Hermann Lindenberger, Studienrat, Lauffen/N; Prof. Dr. K. Linke, Friedberg; Dr. B. Linnemann, Arzt, Leihgestern; Dr. F. Linnemann, Leihgestern; H. Lison, Berlin; Dr. W. Littek, München; D. Löcherbach, Berlin; Wolfgang Lödin, Wiss. Angest., Großdornberg; Ernst Loewy, Archivar, Frankfurt/M.; Siegwart Lönnendonker, Dipl.Soz., Berlin; Dr. Jürgen Lott, Wiss. Ass., Mainz; Prof. Dr. Wolfgang Ludwig, Berlin; Urs Lufft, Lehrer, Ostbevern; Holger Lührig, Journalist, Bonn-Lengsdorf; M. Luig, Fröndenberg; Dr. Ute Luig, Wiss. Angest., Ziegelhausen; Ingegerd Lundgren, Rundfunkredakteur, Stockholm; Dr. Jürgen Lütgemeier, Wiss.Ass., Heidelberg; Dr. B. Lutz, Stuttgart; Dr. med. Gert Lyon, Linz;

Dr. Ute Maas, Berlin; Prof. Dr. Th. Mahlmann, Marburg; H. Maier-Metz, Marburg; Prof. Dr. A. Mann, Aachen; Dr. B. Manstein, Detmold; Dr. Sarma Marla, Wiss.Ass., Heidelberg; Dr. D. Marquarding, Odenthal-Glöbusch; Prof. Dr. F.-W. Marquardt, Berlin; W. Marschall, München; Rita Marx, Studentin, Hamburg; Ch. Marzahn, Bremen; Prof. Dr. I. Maschmann, Lüneburg; Achim Maske, Doktorand, St. Augustin; G. Mastadt, Berlin; Dr. F. Matakas, Berlin; Dr. G. Mattenklott, Berlin; Prof. Dr. F. Maurer, Reutlingen; Wolfgang Maurer, Karlsruhe; Dr. med. Hans Mausbach, Frankfurt/M.; Barbara Mausbach-Bromberger, Lehrerin, Frankfurt/M.; Edgar Mebus, Wiss. Angest., Hamburg; U. Meditsch, Wiss.Ass., Berlin; G. A. Meixner, Speikern; Prof. Dr. T. Metscher, Bremen; S. Metz-Gochel, Niederdorfelden; Prof. Dr. A. Metzger, München; H. Metzler, Fröndenberg; Dr. Ahlrich Meyer, Münster; G. Meyer, Marburg; Gerd Meyer, Wiss.Ass., Tübingen; Dr. U. Meyer, Berlin; Prof. Dr. Werner Meyer, Wiesbaden; Dr. J. Meyer-Ingwersen, Stuttgart; Prof. Dr. M. Mezger, Mainz; H.-J. Michels, Essen; Monika Minninger, Wiss. Angest., Marburg; Prof. Dr. Alexander Mitscherlich, Frankfurt/M.; Dr. Mittig, Berlin; Winfried Mogge, Bildungsreferent, Rothenfels; Walter Möhrmann, Wiss. Ass., Karlsruhe; Jörg Möller, Dozent, Hamburg; Jürgen Möller, Dipl. Biologe, Tübingen; R. Möller, Buxtehude; Prof. Dr. Klaus Mollenhauer, Frankfurt; Dr. Martin Molzahn, Berlin; Dr. E. Mönch, Berlin; Wolfgang Mönikes, Dipl.Psych., Bonn-Beuel; A. Müller, Köln; Prof. Dr. Heinrich A. Müller, Vechta; Dr. J. J. Müller, Marburg; Dr. Johann Baptist Müller, Wiss.Ass., Stuttgart; Marianne Müller, Dipl.Psych., Berlin; Prof. Dr. P. Müller, Kassel; Dr. R. W. Müller, Berlin; Dr. Th. Müller, Frankfurt/M.; Dr. Wolfgang Müller, Berlin; Prof. Dr. B. Müller-Hill, Köln; Manfred Müller-Richter, Dipl.Dolmetscher, Heidelberg; Richard Münchmeier, Wiss.Ass., Tübingen; Otto Munk, Reallehrer, Tübingen;

Dr. Rainer Nagel, Tübingen; Prof. Dr. W.-D. Narr, Berlin; Prof. Dr. Oskar Negt, Frankfurt; W. Nerdinger, Dipl.Ing., Augsburg; Dr. Konrad Neu, Kiel; Dr. Bernd Neumann, Berlin; Dr. F. Neumann, Gießen; Frank Neumann, Marbach; Michael Neumann, Dipl.Soz., Göttingen; Dr. Thomas Neumann, Hamburg; Dr. Peter Neumann-Mahlkau, Aachen; A. Neusel, Kassel; Dr. A. Neusüss, Erlangen; Dr. E. Neusüss, Marburg; Dr. G. Neuweiler, Tübingen; Dr. H. W. Nicklas, Darmstadt; Dr. M. Nikolinakos, Berlin; Rolf Niemann, Dipl.Pol., Berlin; Dr. G. Niermöller, Herdecke; Prof. Dr. C. Noack, Bremen; Nürnberger, Lehrer, Berlin;

Paul Oehlke, Polit.Wiss., Hamburg; Dr. Hans G. Oel, Wiss.Ass., Mannheim; Dr. Helmut Oeljeklaus, Dozent, Bochum; Dr. Klaus Oelschläger, Rodenkirchen; Dr. Claus Offe, München; Reinhard Opitz, Publizist, Köln; Dr. S. Oppermann, Gießen; Michael Ort, Dipl.Psych., Ziegelhausen; Dr. Friedrich Ortmann, Akad.Rat, Tübingen; Dr. Hedwig Ortmann, Wiss.Ass., Tübingen; C. Ossorio-Capella, Frankfurt; Astrid Osterland, Dipl.Sozialwirt, Göttingen; Dr. M. Osterland, Göttingen; Prof. Dr. Gert Otto, Mainz;

Dieter Paas, Wiss.Ass., Heidelberg; Dr. Peter Palla, Opladen; Sven Papcke, Wiss.Ass., Bochum; Peter Pappert, Dipl.Soz., Dortmund; Dr. Björn Pätzoldt, Berlin; Prof. Dr. A. Paul, Berlin; Dr. med. H. Paust, Marburg; Hans-Jürgen Petersen, Student, Hamburg; Dr. med. H. Petri, Berlin; Dr. Joachim Petsch, Bonn; Dr. Werner Petschick, Nieder-Eschbach; Dr. Gerd Petzke, Wiss.Ass., Idstein; Dr. H. Pfaffenberger, Konstanz; H. Peifer, Konstanz; Martin Pfeiffer, Wiss.Ass., Berlin; Renate Pfeuffer, Psych.-techn.Ass., Frankfurt/M.; Dr. Helmut Pfister, Erlangen; Matthias Pfüller, Wiss.Ass., Berlin; Dr. Gerhart Pickerodt, Marburg; Ernst Piehl, Dipl.Pol., Düsseldorf; Dr. W. Piepenstock, Schildgen; Dr. Klaus Pierwoß, Dramaturg, Tübingen; Dr. Ado Pietzcker, Wiss.Ass., Berlin; Dr. Juliane Pilz, Kunsthistorikerin, Wildenroth; Dr. Wolfgang Pilz, Kunsthistoriker, Wildenroth; Prof. Dr. med. Andreas Ploeger, Aachen; Prof. Dr. Wolfgang Popp, Siegen; Dr. Niels Pörksen, Mannheim; Dr. Werner Post, Bonn; G. Presch, Konstanz; Dr. Wilhelm Pressel, Hamburg; Prof. Dr. Otmar Preuß, Bremen; Prof. Dr. U. Preuß, Bremen; Ulf Preuss-Lausitz, Dipl.Soz., Berlin; Dr. Karin Priester, Münster; H. Prinkmann, Gießen; Dr. Günter Prinzing, Bochum-Linden; Holger Probst, Wiss. Angest., Marburg;

Dr. med. Klaus Quiring, Offenbach; Dr. Wilhelm Quitzow, Berlin;

Dr. D. Rabenstein, München; Dr. Martin Raether, Wiss.Ass., Heidelberg; B. Rahne, Berlin; A. Rang, Berlin; Elfriede Rappold, Pfarrerin, Winden; Prof. Dr. H. Rauschenberger, Frankfurt/M.; S. Reck, Annerod; A. Regenbogen, Akad.Rat, Gretesch-Lustringen; Dr. med. Michael Regus, Berlin; Helmut Reichard, Dipl.Soz., Münster; B. Reinhardt, MTA, Berlin; Prof. Dr. H.-W. Reinhardt, Berlin; R. Renter, Stade; Vera Renz, Lehrerin, Frankfurt; Gerhard Richard, Journalist, Berlin; Dr. med. Mark Richartz, Hannover-Buchholz; Prof. Dr. H. Ridder, Gießen; Prof. Dr. h. c. Renate Riemeck, Alsbach; Herbert Rieping, Ingenieur, Göttingen; Brigitte Robak, Dipl.Soz., Marburg; W. Röcke, Wiss.Ass., Berlin; Hansgeorg Rockemer, Päd. Mitarbeiter, Frankfurt; Dr. M. Röhnelt, Berlin; Prof. Dr. Paul Röhrig, Köln; Dr. Christina Rohr, Berlin; Dr. Hermann Rohrer, Erlangen; Dr. Friedrich Roller, Würzburg; Prof. Dr. E. A. Roloff, Göttingen; Dr. P. [illegible], Marburg; [illegible], Dipl.Sozialwirt, Göttingen; F. von Rosen, Marburg; Dr. Jos. Corn. Rossaint, Düsseldorf; Dr. H. Rosshoff, Marburg; Jürgen Roth, Journalist, Frankfurt/M.; Dr. Th. Rothschild, Stuttgart; Renate Rott, Dipl.Soz., Berlin; Prof. Dr. Georg M. Rückriem, Roxel; Gerd Ruckert, Fachhochschullehrer, Kassel; Dr. A. Rümmler, Darmstadt; Dr. Eberhard Rumbke, Wiss.Ass., Köln; Dr. E. Runge, München; Dr. H. K. Rupp, Heidelberg; Jürgen Ruthemann, Studienreferendar, Hamburg; Dr. Raimund Rütten, Königswinter; A. Rütters, München;

Prof. Dr. Fritz Sack, Regensburg; Christine Sager, Dipl.Pol., Marburg; Prof. Dr. Alfred Sander, Saarbrücken; Prof. Dr. H. J. Sandkühler, Gießen; Dieter Sandner, Dipl.Psych., München; Dr. med. Klaus-Steffen Saternus, Wiss.Ass., Köln; Prof. Dr. Horst Scarbath, Hamburg; R. E. Schaefer, Dipl.Psych., Mannheim; Prof. Dr. B. Schaeffer, Berlin; Dr. H. Schäfer, Frankfurt/M.; H. Schäfer, Kassel; Dr. Karl-Hermann Schäfer, Bochum; Prof. Dr. B. Schäfers, Neustadt; Prof. Dr. Peter Schafmeister, Bremen; Dr. U. Schagen, Berlin; Jörn Scheer, Dipl.Psych., Gießen; G. Schefen, Kirchhain; Prof. Dr. G. Schefer, Kassel; Dr. R. Schenda, Tübingen; I. Schenk, Bremen; Dr. Ewald Schepper, Romanist, Graßlfing; Dr. Klaus Scherpe, Wiss.Ass., Bammental; Dr. R. Schesswendter, Heidelberg; Eckart Schiele, Historiker, Berlin; Prof. Dr. E. Schild, Aachen; Dr. I. Schild, Aachen; Prof. Dr. H. Schlaffer, Marburg; Prof. Dr. J. Schleifstein, Frankfurt/M.; D. Schlender, Referendar, Berlin; Heinz Schlicker, Dipl.Ing., Ziegelhausen; Dr. med. Schlister, Bonn; Erwin Schlösser, Physiker, Bonn; Dr. Toni Schlösser, Arzt, Düsseldorf; Ulrich Schlottmann, Wiss. Mitarbeiter, Marburg; Georg Schlünder, Wiss. Mitarbeiter, Rexel; Rudolf Schlunk, Pfarrer, Duderstadt; Dr. Egidius Schmalzriedt, Bieringen; Dr. med. Bernd Schmerer, Stuttgart; M. Schmidt, Berlin; Berthold Schmidt, Dipl.Phys., Heidelberg; Christian Schmidt, cand.phil., Berlin; Dr. E. Schmidt, Frankfurt/M.; Dr. Peter Schmidt, Wiss.Ass., Aachen; Ute Schmidt, Lehrerin, Berlin; Wolfram Schmidt, Wiss.Mitarbeiter, Bonn; Ingrid Schmidt-Harzbach, Dipl.Pol., Berlin; Prof. Dr. Schmied-Kowarzik, Bergshausen; Arnold Schmieder, M.A., Nienberge; Claudia Schmieder, Lehrerin, Nienberge; Jürgen Schmierer, Lehrer, Neuweiler; Dr. C. U. Schminck, Berlin; Dr. F. Schmithals, Bremen; Guido Schmitt, Ass., Freiburg; Hilmar Schmitt, Rechtsanwalt, Aschaffenburg; D. Schmitz-von Hülst, Gießen; Gerd Schneider, Wiss.Ass., Landau; Prof. Dr. Hartmut Schneider, Berlin; Jutta Schneider, Wiss.Ass., Göttingen; Manfred S. Schneider, Dozent, Hamburg; Ralf Schnell, Wiss.Ass., Berlin; Wilfried Schnoor, Dipl.Ök., Bochum; Dr. Rainer Scholch, Kunsthistoriker, Heidelberg; Wolfgang Schöller, Dipl.Pol., Berlin; Dr. H. J. Scholl, Köln; Dr. Herwig Scholz, Adelebsen; Prof. Dr. L. Schottroff, Mainz; Prof. Dr. W. Schottroff, Mainz; Dirk Schrader, Tierarzt, Berlin; G. Schreiner, Dipl.Psych., Göttingen; Wilfried Schubert, OStR, Bad Hersfeld; Prof. Dr. Kuno Schuhmann, Gießen; H. Schuler, Gießen-Rödgen; Dr. M. Schuler, Gießen-Rödgen; Dr. D. Schuller, Dipl.Chem., Waibstadt; Axel Schulte, Wiss.Ass., Hannover; Dr. H. Schulte Ziegelhausen; Olaf Schultz, Lehrer, Bösel; Prof. Dr. H. Schulz, Marburg; Prof. Dr. I. Schulz, Lüneburg; Jörg Schulz-Neumann, Berlin; P. W. Schulze, Berlin; Dr. M. Schumann, Göttingen; Prof. Dr. N. O. Schumann, München; Gundel Schümer, Ass., Hamburg; K. T. Schuon, Marburg; Dr. Peter Schütt, Hamburg; Erhard H. Schütz, Wiss. Hilfskraft, Gießen; Dr. Jörg Schwager, Tübingen; Dr. U. Schweikert, Stuttgart; Prof. Dr. Hermann Schweppenhauser, Lüneburg; Georg Schwinghammer, Dillenburg; E. Schwitajewski, Dipl.Psych., Gießen; Helmut Sechatis, Studien-Ref., Berlin; Harald Seehausen, Lehrer, Frankfurt; Hildegard Seemann, Sozialpädagogin, Essen; Prof. Dr. K. D. Seemann, Berlin; Sabine Seehausen, Sozialarbeiterin, Frankfurt; Frank Seelow, Dipl.Pol., Berlin; Ulrich Seibert, Dipl.Psych., Tübingen; H. Seifert, Berlin; Prof. Dr. Jürgen Seifert, Frankfurt; Prof. Dr. J. E. Seiffert, Kassel; Reinhard Sellnow, Dipl.Volksw., Karlsruhe; Franz Josef Senge, Diplomtheologe, Betzingen; Karsten Siegel, Wiss. Mitarb., Bad Hersfeld; K. J. Siegfried, Marburg; Wolfgang Sieling, Gerichtsreferendar, Bremen; H. Siemes, Berlin; Dr. K. D. Siemoneit, Berlin; Dr. Ch. Sigrist, Münster; Dr. med. Volkmar Sigusch, Hamburg; Georg Simonis, Wiss.Ass., Konstanz; Dr. Thomas Skudelny, Arzt, Saarbrücken; Dr. Alfred Sohn-Rethel, Birmingham; Dr. med. U. Sokoll, Arzt, Erlangen; Werner Sollors, Wiss.Ass., Berlin; B. A. Sommer, Dipl.Volkswirt, Hamburg; Prof. Dr. Ulrich Sonnemann, München; Dr. H. Sörensen, Berlin; Dr. Hans-Jürgen Spielmann, Soziologe, Karlsruhe; Th Spitta, Wiss.Ass., Berlin; Prof. Dr. Albert Spitznagel, Mainzlar; E. Spoo, München; R. Spree, Berlin; B. u. W. Spremberg, Weiperfelden; Dr. G. Sprigath, München; Dr. Michael Stadler, Münster; Helmut Stang, Gießen; Fritz Starke, Studienreferendar, Bremen; Knut Steglich, München; K. Steinbacher, München; Prof. Dr. H. J. Steinberg, Bremen; W. Steinbrecht, Hannover; Dr. K. Steinhaus, Marburg; U. Steinvorth, Wiss.Ass., Heidelberg; Wolfgang Steinweg, Berlin; Hans-Georg Stiefel, Studienreferendar, Mössingen; Dr. Hellmut Stoffer, Bochum; Gerhard Stoll, Asta-Vorsitzender, Hamburg; Gunnar Stollberg, Lehrbeauftragter, Berlin; Steffen Störmer, Wiss.Ass., Berlin; Jobst v. Stosch, Jurist, Trendelburg; Richard Stöss, Dipl.Pol., Berlin; Dr. med. D. Stöwsand, Kiel; Jürgen Straßburger, Dipl.Pol., Berlin; Dr. Konrad Stripp, Hamburg; H. Strohbücker, Sundern; Anna Maria Stuby, Studienrätin, Hochdorf; Prof. Dr. G. Stuby, Bremen; Rolf Stuppardt, Betriebswirt, Bochum;

Prof. Dr. J. Taubes, Berlin; Prof. Dr. L. Tent, Marburg; Prof. Dr. M. Teschner, Darmstadt; Prof. Dr. M. Theunissen, Heidelberg; Rudolf Theuring, Oberstudienrat, Germersheim; Dr. Klaus Tiedemann, Wiss.Ass., Hamburg; Prof. Dr. H. Thiersch, Tübingen; Dr. Wilke Thomssen, Wiss.Mitarb., Berlin; Dr. Dietrich Thränhardt, Hiltrup; Dr. J. Tismar, Stuttgart; Prof. Dr. K. H. Tjaden, Marburg; Dr. M. Tjaden-Steinhauer, Marburg; Prof. Dr. F. Tomberg, Berlin; Prof. Dr. Dimitris Th. Tsatsos, Bonn; Dieter Tscheulin, Wiss. Angest., Eisingen; Klaus Tuch, Wiss.Ass., Berlin; Prof. Dr. E. Tugendhat, Berlin; Dr. B. Tuschling, Marburg;

Rolf Uesseler, Wiss.Ass., Berlin; Gösta von Uexküll, Hamburg; Dr. Klaus Ulich, Wiss.Ass., München; Dieter Ullrich, Studienrat, Langenhagen; Margot Umbach, Wiss.Ass., Tübingen; Karl Unger, MA, Marburg;

Ulrich Vaneck, Journalist, Bremen; Wilfried Viebahn, Psychologe, Köln; Dr. Ernst K. Vilaghy, Hochschullehrer, Köln; F. Vilmar, Frankfurt/M.; Prof. Dr. E. Vogt, Marburg; Prof. Dr. Jochen Vogt, Gießen; Volbracht, Lehrer, Berlin; Dr. P.-G. Völker, Berlin; Heinz-Erich Vorndran, Wiss. Hilfskraft, Würzburg; Dr. Rainer Vowe, Kiel;

Dr. R. von Waechter, Berlin; Prof. Dr. Carl-Hellmut Wagemann, Berlin; K. Wagner, Kassel; Wolf Wagner, Dipl.Pol., Berlin; R. Wahsner, Gießen; Prof. Dr. O. H. Walliser, Göttingen; Hans Walter, Wiss. Hilfskraft, Gießen; K. Walter, Marburg; M. Walter, Gießen; Dr. J. Wandmacher, Konstanz; Gerhard Wäschebach, Studienrat, Nister; H. Weber, München; Herbert Weber, Berlin; Prof. Dr. Hans-Herrmann Weber, Berlin; Prof. Dr. I. Weber-Kellermann, Marburg; Marianne Weg, Dipl.Oec., Gießen; Prof. Dr. E. Weigelin, Bonn; Dr. W. Weiland, Marburg; Ulrich Weinberg, Lehrer, Darmstadt; Gerrit Weisberg, Arzt, Lövenich; H. J. Weiß, München; Prof. Dr. W. Weischedel, Berlin; Christian Wellmann, Frankfurt/M.; Dr. Klaus Wernecke, Dozent, Hamburg; K. Werner, Neustadt; Klaus H. Werner, Architekt, Berlin; Rotraut Werner, Lehrerin, Speyer; Dr. Gernot Wersig, Berlin; Eberhard Wesche, Wiss.Ass., Berlin; Prof. Dr. U. Wesel, Berlin; Dr. Manfred Wetzel, Dozent, Hamburg; Prof. Dr. K.-H. Wewetzer, Gießen; Prof. Dr. A. Weyer, Neukirchen; H. Wieczorsk-Zeul, Rüsselsheim; Wilhelm Wiese, Referent, Bremen; Prof. Dr. Udo Wiesmann, Berlin; W. Wigt, Referendar, Berlin; Wolf Wilberscheid, Dipl.Kaufm., Henstedt-Ulzburg; Dr. Dietrich Wildung, Wiss.Ass., München; Bernhard Wilhelmer, Dipl.Psych., Berlin; Dr. Lutz Winckler, Ofterdingen; Dr. F. Winkelmann, Berlin; H. Winkler,

Kassel; Dr. Hans G. Winter, Hamburg; Tilo Winter, Bremen; Dr. Regine Wittram, Ärztin, Marburg; Prof. Dr. Karl Wohlmoth, Bremen; Dr. Friedrich O. Wolf, Berlin; Dr. Siegmund A. Wolf, Bochum; Dr. U. A. Wolf, Tübingen; Gisela Wolfermann, Dipl.Geogr., Berlin; R. Wolff, Pentling; Ch. de Wolff, Berlin; Helmut Woltag, Referendar, Neuenburg; P. Wolters, Stud.Ref., Berlin; Hubert Wudke, Wiss.Oberrat, Hamburg; Prof. Dr. E. Wulff, Gießen; Dr. Bernd Wunder, Wiss.Ass., Konstanz; Prof. Dr. D. Wunderlich, Berlin; W. Wurster, München; Dr. R. Wuthenow, Lämmerspiel; Prof. Dr. Ralph-Rainer Wuthenow, Frankfurt; Dr. Willy Wyniger, Bochum;

Dr. Hartwig Zander, Hochschullehrer, Oldenburg; Dr. jur. Lothar Zechlin, Hamburg; Dr. med. Siegfried Zepf, Kiel; Dr. Bodo Zeuner, Berlin; Prof. Dr. K. Ziegler, Göttingen; Dr. Hans-Dieter Zimmermann, Berlin; Prof. Dr. K. Zimmermann, Kassel; Klaus Zimmermann, Dipl.Volkswirt, Köln; Hartmut Zinser, Wiss.Ass., Berlin; D. Zitzlaff, Staufenberg; Prof. Dr. P. Zlonicky, Aachen; Prof. Dr. H. G. Zmarzlik, Freiburg; S. Zöllner, Fröndenberg.

Demokratie und Recht

Vierteljahresschrift

Die Zeitschrift „Demokratie und Recht" erscheint vierteljährlich.
Das Einzelheft kostet DM 6,00, im Abonnement DM 5,00,
im verbilligten Abonnement für Studenten DM 4,00 zuzüglich DM 0,30
Zustellgebühr.
Abonnenten in anderen Währungsgebieten werden nach den geltenden
Verrechnungsbestimmungen beliefert.
Die Zeitschrift ist direkt beim Pahl-Rugenstein Verlag, 5 Köln 51,
Vorgebirgstraße 115,
Telefon (0221) 37 41 01, zu beziehen.

Pahl-Rugenstein